娘が母を殺すには?

How can a daughter kill her mother?

三宅香帆

PLANETS

まだまだ心の鍛え方が足りない、と反省した後、だけど、と真汐は考える。心を鍛えるだけでは幸せに生きて行くのに充分ではないのだ。いったいどれだけ賢ければ波風立てずに生きて行けるのだろう。どれだけ美しければ世間にだいじにされるのだろう。どれだけまっすぐに育てばすこやかな性欲が宿るのだろう。どれだけ性格がよければ今のわたしが全く愛せない人たちを愛せるのだろう。気が遠くなる。楽しいことばかりではない道が目の前に果てしなく続いている。

松浦理英子『最愛の子ども』

まえがき

大学生の頃から、ずっと見ているSNSアカウントがある。

医学部に入学し、大学卒業後は研修医として努力を重ね、いまは立派なお医者さんとして働いている女の子のアカウントだ。

彼女はコスメが好きで、お洋服が好きで、そして素敵な実家に住んでいる。どういうきっかけで私が彼女を知ったのかはよく覚えていないのだが、たまにアップされるお洋服やバッグや靴は、いつもセンスが良くてかわいくて、なんとなく好きになった。

世間から見たら彼女は、裕福な家庭に生まれ、高収入の仕事に就き、趣味も充実している、恵まれた女の子に見えるだろう。世間というよりも、私はそう思っている。素直で、真面目で、努力家な女の子。そしてその努力が実り、何不自由ない生活を送っている女の子。

SNSをフォローし始めた頃の印象で、つい私は「女の子」と書いてしまっているが、彼女はいまや30代半ばの立派な女医さんである。仕事に対する葛藤や「彼氏ができない」といった悩みがSNSに投稿されることもあるものの、たまにちょっといい買い物をして、素敵なカフェでお茶をして、家族で旅行して、日々を楽しく暮らしている。

しかし彼女がSNSで呟《つぶや》く言葉のなかには、ひとつだけ、いつも気になるものがある。

「お母さん」という言葉である。


お母さんに、「デブ」って言われた。

お母さんに、「あなたにまともな仕事なんてできるわけない」って怒られた。

お母さんに門限を設定されているから、飲み会に行くことができない。

お母さんに、「そんなんじゃ、彼氏なんてできるわけがない」って言われた。

お母さんに、「本当に結婚しないの？　彼氏いないの？」って聞かれた。


もう30代も半ばを過ぎた彼女の言葉には、しばしば「お母さん」が強い存在感を持って登場する。そしてどうやら彼女は、「お母さん」の満足を得ることができないなら、自分の人生を100パーセント肯定できない、と感じている。

私は不思議に思った。

彼女は安定した収入も、友人も趣味も持っている。その気になれば、実家を出ていくこともできるはずだ。母親に「デブ」と言われたからといって（たしかにショックだが）気にする必要はないし、門限を設定されたとしても「大人なんだからほっといて」と言えば良い話ではないか。それなのに、なぜ彼女は母の言うことをこれほどまでに聞くのだろうか。

しかし、どうやら彼女にとって、母の言葉は絶対的なものであるらしかった。

お母さんに肯定されないと、自分を肯定できない——そのからくりが、私の目には、とても不思議に映った。

そしていまも、私は彼女のアカウントを見つめながら、ずっと考えている。

彼女はどうすれば、「お母さん」の呪縛から解放されるのだろうか、と。


「母と娘の関係は、こじれやすい」

世間ではそんなふうに言われている。

母と娘の間には、外側から見てもわからない、ドロッとした複雑さが存在しているのだ。

なぜ母娘関係は複雑になってしまうのか。どうしたらこの複雑さを解消できるのか。

この問いについて私は、さまざまなフィクションを通して考察した——小説、漫画、ドラマ、映画などのフィクションは、いつだって、その時代の問題を反映するからだ。

その結果辿《たど》り着いたのが、本書のタイトルになっている「母を殺す」という概念だった。

あまりに物騒なタイトルに、いささか驚いた人もいるかもしれないが、もちろん「母殺し」とは、物理的な殺人を意味するものではない。そうではなく、本書で主張したいのは、古来多くのフィクションが、息子の成熟の物語として「父殺し」を描いてきたように、娘もまた精神的な位相において「母殺し」をおこなう必要があるのではないか、ということだ。

とはいえ、このまえがきを読んでくださっている人のなかには「いくら抽象的な話と言ったって、『母を殺す』なんて……」と苦笑する人もいるかもしれない。

だが、本書の執筆を進めるなかで私は、やはり「母殺し」をメジャーな概念にすること以外に、母娘関係の複雑な問題を解決する方法はないのではないか、と思うようになった。

母娘の問題――それは、虚構を生きるヒロインたちの問題であり、現実を生きる女性たちの問題であり、SNSで私がずっと見ている女の子の問題でもある。

彼女はたぶん、私のことを知らないし、この本が彼女に届く可能性は極めて低いだろう。

それでも私は本書の執筆中、ずっと彼女に伝えたいと思っていた。

余計なお世話かもしれないが、あなたに必要なのは「母殺し」ではないですか、と。

『娘が母を殺すには?』目次

まえがき 2

第一章 「母殺し」の困難

1 母が私を許さない 12

●「それは母が、ゆるさない」 12
●2018年の滋賀医科大学生母親殺害事件の存在 14
●「私の行為は決して母から許されません」 16
●なぜ「母から許されたい」と思ってしまうのか 18
●大人になるとは「父殺し」をすることである 21
●どうすれば「母殺し」は可能になるか? 23
●「できれば母/娘と仲良くいたい」 26
●「母と娘の物語」を読む 27

2 母が死ぬ物語――「イグアナの娘」『砂時計』「肥満体恐怖症」 31

●「イグアナの娘」と母の呪い 31
●『砂時計』が見せる「母殺し」の困難さ 34
●「肥満体恐怖症」と母への愛着 36
●「母を許せない自分」を愛せない 39

3 「母殺し」はなぜ難しいのか? 42

●戦後日本の専業主婦文化が生んだ母娘密着 42
●「母」が専業主婦じゃなくなっても 45
●ジェンダーギャップと娘にケアを求める母 47

●「母殺し」が困難な社会で 48

第二章 「母殺し」の実践

1 対幻想による代替――1970～1980年代の「母殺し」の実践 52
●『残酷な神が支配する』と母娘の主題 52
●「母に代わるパートナーを見つける」という「母殺し」 54
●「ポーの一族」と永遠のパートナー 57
●落ちる母、飛ぶ娘 60
●山岸凉子のキャラクターはなぜ「細い」のか？ 61
●『日出処の天子』の母の嫌悪とミソジニー 63
●「母と娘の物語」として読む『日出処の天子』 69
●母の代替の不可能性 71
●『日出処の天子』「ポーの一族」それぞれの代理母 72
●厩戸王子が「母殺し」を達成する方法はなかったのか？ 74
2 虚構による代替――1990年代の「母殺し」の実践 79
●アダルト・チルドレンと1990年代 79
●1990年代の「自由な母」という流行 81
●戦後中流家庭の「親」への抵抗 82
●「母のような女になること」がゴールの物語 85
●「母殺し」の必要がない「理想の母」 86
●「理想の母」は母への幻想を強化する 87

● 現実に「理想の母」は存在しない 90
● 『なんて素敵にジャパネスク』と母の承認 91
● なぜ瑠璃姫の母は死んだのか? 94
● 母のいない世界で、娘は自由に生きられる 96

3 母を嫌悪する——2000年代以降の「母殺し」の実践 101

● 『乳と卵』が描いた、母への嫌悪 101
● 川上未映子が『乳と卵』を描いた時代 104
● 『乳と卵』の達成と限界 106
● 「母殺し」の物語としての『爪と目』 108
● 『爪と目』が浮き彫りにする「母殺し」の困難さ 111
● 団塊ジュニア世代と「毒母」の流行 114

第三章 「母殺し」の再生産

1 自ら「母」になる——もうひとつの「母殺し」の実践 120

● 『銀の夜』と母娘の「生きなおし」 120
● 自己実現の規範の再生産 124
● 「母殺し」の実践としての出産 126
● 『吹上奇譚』と終わらない「母殺し」 128
● 吉本ばななと「母になろうとする娘」 132
● 『キッチン』とごはんを用意する「母」 133
● ごはんをつくらない「母」 135

第四章 「母殺し」の脱構築

1 母と娘の脱構築 174
● 母娘の構造 174
● 「母殺し」の達成条件 175

2 夫の問題 144
● 「母殺し」の実践と困難 144
● 『凪のお暇』と母の規範の再生産 145
● 夫の逃走、娘によるケア 148

3 父の問題 152
● シングルファザーの育児物語 152
● なぜ『SPY×FAMILY』のアーニャは人の心が読めるのか 154
● 『Mother』の物語において「父」はいなくてもいい 156
● 『カルテット』と夫婦のディスコミュニケーション 158
● 坂元裕二の主題としての「コミュニケーション」 160
● 『大豆田とわ子と三人の元夫』の提示したディスコミュニケーションの解決策 162
● 「甘えさせる母」としてのシングルマザー 165
● 3人の息子に囲まれた大豆田とわ子 167
● 子どものいる夫婦の対等なコミュニケーションは描かれ得るか? 169

● 「大川端奇譚」の無自覚な娘 137
● 母からの規範に気がつかない娘 139

●母娘関係の脱構築 177
●新たな規範を手に入れる 178
●母の唯一無二性から脱却する『愛すべき娘たち』 180
●『私ときどきレッサーパンダ』と更新される「母殺し」 183
●母のコンプレックスが娘のチャームになる 186
●母の規範が破られるとき 187
●他者への欲望に気づくことで、母の規範を相対化する 189

2
二項対立からの脱却 193
●『娘について』が描いた「母にできること」 193
●母の規範、娘の幸福 196
●娘以外の他者を入れる必要性 197
●甘いケーキだけが幸福ではない 199
●母娘が、お互いを唯一無二の存在だと思わないために 201

3
「母殺し」の物語 203
●自分の欲望を優先する 203
●厩戸王子はどうすれば「母殺し」ができたのか？ 206
●ひとつの解を提示する『最愛の子ども』 207
●娘たちよ、母ではない他者を求めよ 209
●母娘という名の密室を脱出するために 211
●「母殺しの物語」を生きる 215

あとがき 220

第一章　「母殺し」の困難

1 母が私を許さない

「それは母が、ゆるさない」

太宰治の小説『人間失格』［1］にこんな一節がある。

（それは世間が、ゆるさない）
（世間じゃない。あなたが、ゆるさないのでしょう?）
（そんな事をすると、世間からひどいめに逢《あ》うぞ）
（世間じゃない。あなたでしょう?）
（いまに世間から葬《ほうむ》られる）

（世間じゃない。葬むるのは、あなたでしょう？）

（『人間失格』）

『人間失格』の主人公は、「世間というものは、個人ではなかろうか」と気づいたときから、自分の意志で動くことができるようになり、少しだけ「わがまま」になった、と回想する。

私は、この小説を読むとき、「娘」たちのことを考える。

「娘」というのは、私の周囲に実在する、あるいは小説や漫画のなかで見てきた、無数の「母の娘」たちのことである。

「娘」たちは、幼少期から母によって「それは世間が、ゆるさない」「そんな事をすると、世間からひどいめに逢うぞ」と、呪文のように唱えられる。経済的に自立しても、結婚して姓が変わっても、母の介護を担当するような年齢になっても、繰り返し、繰り返し。そして、その呪文は、「母」から「娘」に受け継がれていく。

つまり「娘」にとって「世間」とは――ほかでもない「母」のことではないか？

「母が許さないから」という言葉で自分を縛る娘たちの姿を、私は何度見てきただろう。それはあるときは現実の友人であり、あるときはネット上のまだ見ぬ女性であり、あるときは小説のなかの主人公だった。

不思議でしょうがなかった。

なぜ娘たちは、「それは母が許さない」という言葉で、自らを縛ってしまうのだろう？

２０１８年の滋賀医科大学生母親殺害事件の存在

本書は「母と娘」を主題としたフィクションを読み解く本である。

母と娘の関係は、こじれやすく、複雑なものになりやすい。とりわけ娘が母に向ける葛藤は、多くの小説や漫画作品のなかでもしばしば描かれてきた。しかし、それらのフィクションを読み解く従来の評論は、「娘は母に支配されやすい」「娘は母に縛られてしまう」という現象を指摘するにとどまり、母娘問題の具体的な解決策は提示してこなかった。

どうすれば、娘は母の呪縛から逃れることができるのか？　この問いについて、フィクションはどのような解決策を提示してきたのか。その見取り図をまだ誰も描けていないのだ。

そこで本書は、フィクションの読解を通して、母との関係に苦しむ娘が解放される方法を提示することに挑戦する。言葉の定義はのちほど詳しく説明するが、強い言葉を使えば、本書は「娘が『母殺し』を達成する方法」を、フィクション作品のなかに見出そうとする本である。

だが作品の読解に入る前に1冊だけ、ノンフィクション――現実の事件を題材にした書籍について扱いたい。

2018年、当時看護学科に通っていた31歳の女子大生が、同居していた58歳の母親を殺害した。医学部への進学を母に強要され、9年間もの浪人生活を強いられた結果、眠っている母親をメッタ刺しにして殺害し、公園に死体を遺棄。常軌を逸した教育虐待が、「子による親の殺害」という最悪の事態を引き起こしたこの事件は、社会に大きな衝撃を与えた。

この事件の犯人女性と往復書簡を交わし、事件の背景に横たわる母娘の相克を明らかにした秀逸なノンフィクションが、2022年12月に刊行された『母という呪縛　娘という牢獄』[2]（齊藤彩、講談社）である。

同書の著者である元記者の齊藤は、犯人女性が母について綴《つづ》った手記の「母の呪縛から逃れたいが為に、私は凶行に及びました」という部分に強く惹《ひ》きつけられたと書いている。

だが同じ手記を読んで、私がもっとも気になったのは、ここだった。

私の行為は決して母から許されませんが、残りの人生をかけてお詫びをし続けます。

（『母という呪縛　娘という牢獄』）

ここでの「私の行為」とは、まぎれもなく母を殺害した行為を指している。齊藤が注目した「呪縛から逃れたかった」という殺害の動機は、大変痛ましい内容であるが、理解はできる。

一方で、自分で母を殺しておきながら、その行為を「母から許されない」と述べている点には、やや違和感を覚えはしないだろうか？

もちろん、彼女の犯した殺人という罪は、許されるものではない。しかし彼女は、世間でもなく、道徳倫理でもなく、家族でもなく、「母」が許さないとわざわざ述べたのだ。

この事件の背景にあるのは――最悪の事態に至ってしまった、極端な例ではあるにせよ――ごく凡庸で、一般的な、母娘問題そのものではないか。

同書を読んだとき、私は心底そう感じたのだった。

「私の行為は決して母から許されません」

もし彼女が息子で、父を殺害していたとしたら。彼女（彼）は、「父から許されませんが」と述べていたのだろうか？　この事件が母と娘の間で起こったからこそ、彼女は「私の行為は決して母から許されません」と述べるに至ったのではないか。

そのような仮説をもって『母という呪縛　娘という牢獄』を読み返すと、母が娘に向かって「許さない」と述べる言葉がたしかに頻発する。

たとえば、同書には母と娘のLINEの内容が掲載されているが、そのなかで母は何度も「許しません」という言葉を使う。助産師コースに進む試験に落ちたことや、医学科に入学できないこと、看護学科に入学すること、オープン模試を友達と一緒に受けに行くこと、夜8時の門限を破ってしまったこと、就職すること。そのいずれに対しても、母は「許さない」と述べた、と綴られている。

もちろん、これらの母の言葉は、加害者が記憶を回想し、同書の著者である齊藤と書簡や面会を交わすなかで語られたものなので、一言一句正しいわけではないだろう。加害者のなかで改竄《かいざん》された言葉が存在する可能性も十二分にある。しかし、だとしても、「許さない」と述べた母の言葉は、彼女にとってそれだけ印象に残っていたのだ。

また彼女は、「就職するにあたって親の許可はいらないはずだと思って家出した」が、「それもやはり許されなかった」と回想する。そして、母を殺害したことについても、やはり「母は私を許さないだろう」と述べる。

なぜ「母から許されたい」と思ってしまうのか

なぜ彼女はこれほどまでに、「母の許し」を気にするのか。

彼女が公開した文書には、このように書かれている。「幼い頃から叩き込まれた教養や厳しかった躾に助けられております」と。つまり、母が娘を育てるにあたって授けた教育や習慣が、彼女自身を形づくっているということだ。たしかに、一般的に母は、娘にとってもっとも近しい、「規範」を与える存在である。

規範とは何か。それは人間の欲望の方向性を決めたり、制限をかけたりするものである。母は、日々生まれる娘の欲望に対して、「それはやめなさい」あるいは「こういうふうにしなさい」と価値規範を与えることができる。

具体的に書こう——このような言葉を、あなたも聞いたことがあるだろう。

「結婚したほうが幸せになれる」「女性は容姿端麗でなくてはいけない」「あなたの体型は、太ってはいけないが、痩せすぎもよくない」「学歴をつけて男性に負けない稼ぎを得られるようになれ」「資格を取って、子どもを産んだ後も働き続けられるようにすべき」「あなたは母が望むような幸せを手に入れて、早く母を幸せにしてくれ」「『女の幸せ』なんて、あなたは言わないで」

　このような言葉は、母から娘へ与えられてきた、ごくありふれた規範だ。そして娘は、そのような母の規範を守って生きる。なかには自分が母の規範を守って生きていることに気づかないほど、母の与えた価値規範を娘が内面化してしまっている場合も多いだろう。

　そして娘の欲望が、母の与えた「規範」から逸脱するとき――娘が自らの欲望を満たそうと行動を起こすとき、母の許しが必要になる。しかし母は往々にして、娘の「規範」からの逸脱を許さない。このプロセスを繰り返すうちに、やがて娘は母の規範の範囲内でのみ、欲望するようになる。

　滋賀医科大学生母親殺害事件において、娘は母の「私の言う通りの進路を進みなさい」という規範を守り続けたのだろう。娘の進路希望は、ずっと母の望む医学部だった。そして医学部進学を諦めた後も、母が許す範囲内の進路を選んだ。彼女は常に、自分の行動や欲望について、母が許すかどうかを気にしてきた。

　しかし、彼女が母の規範を守り続けた結果、「娘による母の殺害」という悲劇が起きた。彼女は犯行の動機について、「いずれ、私か母のどちらかが死ななければ終わらなかった」と、陳述書に綴っている。母の規範はそれほどまでに、娘を追い詰めていたのである。

　あるいは直接規範を提示しなくても、母は「愛さない」「否定する」といった行為によって、娘に規範を与えることができる。こちらのほうがある意味やっかいだ。なぜなら、こうして与えられる規範には実体がなく、何をした／しなかったところで、娘は母の支配から逃れられないからである。

「母に否定されて育ったため、自己肯定感が得られない。自分を価値のない存在だと思ってしまう」「『あなたの性格は社会に向いていない』と母に言われて、社会で普通に生きていくことを諦めた」「母に愛されなかったため、自分は人を愛せないと感じる」――このように、社会人になり、親と離れて暮らすようになってからも、呪縛のような母の規範にとらわれ続ける娘は少なくない。

では、母が娘に規範を与えること自体が、問題なのだろうか？

そうではない、と私は考える。

親は子に規範を与える。それは教育の過程で多かれ少なかれ必要なことだ。子どもの欲望のままにしていては、取り返しのつかない事件や事故が起こる可能性もある。親が子の欲望に適切な制限をかけたり、欲望の方向性を規定したりすることは、子どもの健全な成長にとってある程度は必要だ。

しかし、そのように親が与えた規範を、成長の過程で子が手放すこともまた、重要な行為である。

大人になるとは「父殺し」をすることである

親から与えられた規範を手放すことで、子が親を超越すること。これを文学の世界では「父殺し」と呼んできた。

最初に「父殺し」という言葉をつくったのは、精神分析学者のジークムント・フロイトだった。そして、さまざまな文学作品で「父殺し」の葛藤が描かれてきたのは、「父殺し」――息子が成熟するための通過儀礼が、人間にとって重要なテーマだったからだとフロイトは語る。

古今をつうじた文学の三大傑作が、どれも父親殺しという同じテーマを扱っているのは偶然ではない――ソフォクレスの『オイディプス王』、シェイクスピアの『ハムレット』、そしてドストエフスキーの『カラマーゾフの兄弟』である。これら三つの作品ではどれも、父親殺しの動機が、一人の女性をめぐる性的なライヴァル関係にあることも明かされている。

（「ドストエフスキーと父親殺し」［3］）

フロイトが「父殺し」と呼んだものは、息子の成熟プロセスだった。父にとって、もっとも許されない息子の欲望とは、「母を欲すること」である。だからこそ、息子は母を欲望し、父を殺してその権力を奪う。このフロイトの言説には、さまざまな批判があるが、それでも、概《おお》ねこのようなものが必要である理由はわかる。つまり子どもが成熟して大人になるとき、その規範を無効化するために、——あくまで精神的な位相で——親を「殺す」必要があるのだ。

そのため男性たちは、ソフォクレスや、シェイクスピア、ドストエフスキーに始まり、近年では映画『スター・ウォーズ』シリーズや『スパイダーマン』シリーズで、「父殺し」＝男の子が成熟する物語を繰り返し描いてきた。

一方で、女の子が成熟する物語は、どうなのだろう。

父が息子に「強くあれ」「自立して稼げ」「出世しろ」といった規範を与えるのと同様に、「女らしくあれ」「勉強を頑張れ」「自分の言うことを聞いてくれ」と、母は娘にさまざまな規範を与える。成長の過程で、息子は「父殺し」をおこない、その規範を打ち破る。ならば娘も「母殺し」をおこない、その規範を無効化する必要がある。

だが、「父殺し」についてはフロイトが詳しく語ったのに対し、「母殺し」について点検する批評は圧倒的に少ない［4］。

どうすれば「母殺し」は可能になるか？

息子の「父殺し」と、娘の「母殺し」は、何が違うのだろうか？

その差異は、「父」と「母」の規範の与え方の違いに存在している。

というのも、「父殺し」の前提にある父性原理とは、父が頂点に立つタテの規律である。父の規律から外れた人間は罰される。だからこそ、子は父を倒すことで、新たな規律を生み出す側にまわることができる。これが「父殺し」の原理である。

一方、母性原理において、子はタテの規律で支配されるのではなく、全員がヨコの平等の関係にある。母の規範の範囲内にいる限り、子は優しく平等に愛される。だが、母の規範の外に出ようとすることは許されない。規範の外に出た子を、母は愛さない[5]。

簡単に言い換えれば、「父」は強さで子を支配するが、「母」は愛情で子を支配するということである。父はタテのヒエラルキーで規範をつくるが、母はヨコのゾーンで規範をつくる。そのため、強くなれば倒すことができる「父」の規範と、愛情を拒否することでしかそこから逃れられない「母」の規範とでは、大きく性質が異なる[6]。息子は父の規範ヒエラルキーを転倒させることで「父殺し」を達成できる。しかし、娘は母の規範ゾーンから出る

父性原理と母性原理のイメージ ※グレーの丸が子を表す

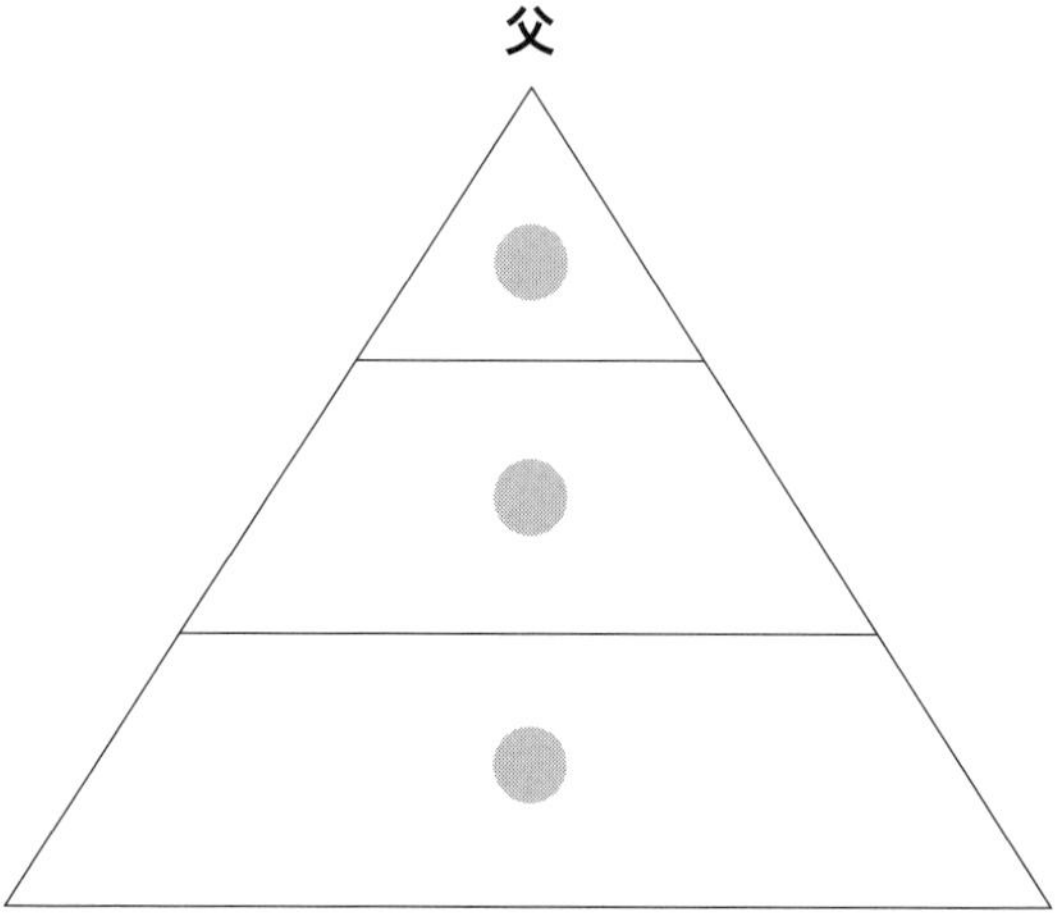

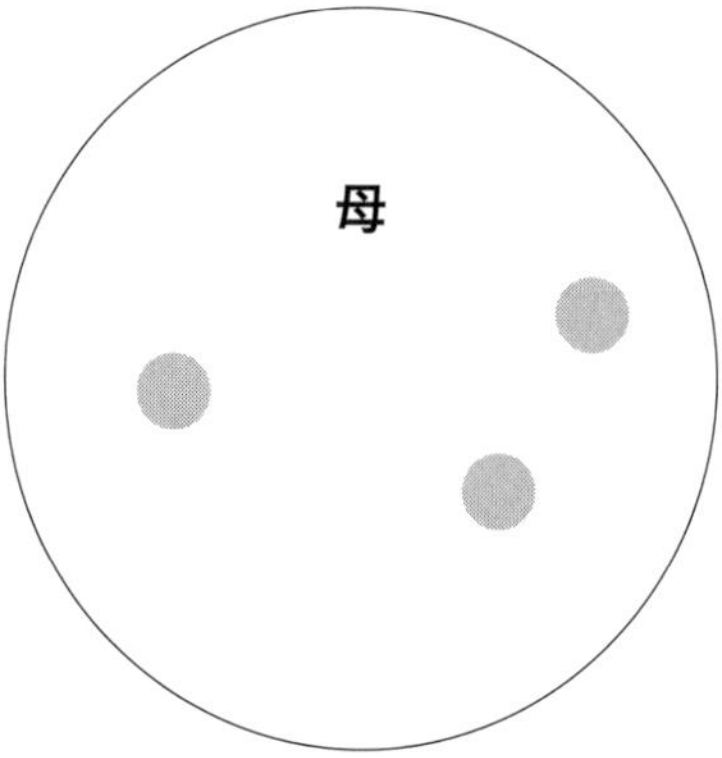

ことを選択する――つまり母の規範を手放すことでしか、「母殺し」を達成することができない。

ここで再び、最初の問いに戻りたい。

滋賀の母親殺害事件の犯人は、なぜ「私の行為は決して母から許されません」と書いたのだろう?

「父殺し」の構図を点検してきたいまなら、回答することができるだろう。彼女はずっと、「母の許す範囲で行動しなければいけない」という規範のなかで生きていたからだ。だから殺人を犯してなお、母に許されるかどうかを気にしていた。

そこで本書では、「母の規範を手放すこと」を「母殺し」と定義したい。したがって本書における「『母殺し』ができない娘」とは、「母の規範を手放せない娘」のことを指す。滋賀の母親殺害事件を知った娘たち――『母という呪縛　娘という牢獄』の著者や、あるいは私も含め――の多くは、この事件を「まったくの他人事《ひとごと》とは思えない」と感じてしまう。それは何をするにしても「母が許すかどうか」を気にしてしまう犯人女性の姿が、「母殺し」ができていない、この国の数多《あまた》の娘たちの姿に重なるからだ。

『母という呪縛　娘という牢獄』というノンフィクションから見えてきたのは、娘が母の規範を手放すこと、すなわち精神的な「母殺し」の必要性だった。

「できれば母／娘と仲良くいたい」

「それは母が許さない」と述べなくても済むように。母の規範の範囲内でしか、欲望し、行動できないという状況を脱することができるように。すべての娘たちは、「母殺し」をおこなう必要がある。

このように書くと、「いや、私は別に母を殺したいわけではなく、母といい距離感で仲良くやっていく方法を知りたいだけなんですが……」と反論したくなる方がいるかもしれない。「母とは仲良くやっていきたい」。そう思う娘は多い。

しかしその背景には、「母と娘が仲良くやること」が社会的によしとされ、それが現代日本の娘の成熟モデルとして、私たちに刷り込まれている可能性があることを忘れてはならない。

たとえば、臨床心理士の信田《のぶた》さよ子は、エッセイストの酒井順子の「今時の独身女性というのは、子育てをするのではなく、親の世話をすることによって、大人になっていくのかもしれないなぁと、読みながら思った」［7］という発言を、「鋭い指摘」として紹介した［8］。この発言もまた、「母と娘が密着しつつも仲良くやること」が現代日本の娘の成熟モデルとされていることの証左だろう。あるいは、たとえば出産した娘が母に育児を手伝ってもらったり、娘が母を旅行へ連れていったりすることもまた、社会的によいことだとされている。母と娘はできるだけ仲が良いにこしたことはない、お互いにケアし合っていてほしい、それが社会の要請なのである。

したがって、多くの娘たちが、母に対して何らかの葛藤を持っているものの、少なくとも表面的には、母娘関係を良くしておきたいと考えている。昨今、母娘仲が悪いと、「毒親」「親ガチャ失敗」などと言われ、不幸とすらされるからだ[9]。

そんな現代社会において、「母殺し」はますます難しくなっている。しかしそれでは、娘たちが「それは母が許さない」と述べ続けるまま——母の規範の範囲内でしか行動できないまま、自由に欲望できないまま、人生を終えることになってしまう。はたしてそれでよいのだろうか?

「母と娘の物語」を読む

エッセイストの酒井順子は『ガラスの50代』(講談社、2020年)において、母は娘にとって「できれば仲良くやっていきたいが、なぜか仲良くなれない存在」であると指摘した。

こうした「できれば仲良くやっていきたいが、なぜか仲良くなれない存在」である母と娘の関係を描いた作品は、年々増えているように感じる。具体的な作品名を挙げるならば、川上未映子《みえこ》『乳《ちち》と卵《らん》』（2008年）、辻村深月《みづき》『ゼロ、ハチ、ゼロ、ナナ。』（2009年）、湊《みなと》かなえ『母性』（2012年）、村田沙耶香《さやか》『タダイマトビラ』（2012年）、角田《かくた》光代『私のなかの彼女』（2013年）、宇佐見りん『かか』（2019年）など。他にもさまざまな作家たちが、母娘をテーマにした小説を発表している。佐野洋子が『シズコさん』（2008年）で自らの母親との確執について綴るなど、ノンフィクションやエッセイで描かれることも多いテーマである。

少女漫画の歴史を紐解《ひもと》けば、萩尾望都《もと》や山岸凉子といった「24年組」が母娘をテーマとした物語を多数生み出し、その課題は下の世代――よしながふみ、芦原妃名子《あしはらひなこ》、ヤマシタトモコ、コナリミサト――といった多数の漫画家にも継承される。

なぜ、女性作家たちは、「母と娘の物語」を繰り返し描くのだろう?

それは、「どうすれば『母殺し』が達成できるのか」が、いまだ解かれていない謎だからだ。

「父殺し」というテーマは、批評家の大半を占める男性たちによって解かれてきたが、「母殺し」を読み解いてくれる人はいままでいなかった。

ならば、いま本当に必要なのは、女性作家たちが繰り返し描いてきた「母殺し」の謎を、彼女たちの作品から読み解くことだ。

そこで本書では、母と娘を描いた物語を通じて、「娘が母を殺すには?」という問いについて考える。

フィクションのよいところは、現実の代わりにいくらでも人を殺せることだ。小説も、漫画も、ドラマも、映画も、娘の「母殺し」をきっとたくさん肩代わりしてきてくれたのだ。母の規範から逃れ、大人になるためのヒントを、私たちに示してきたのだ。ならばその「母殺し」のトリックを、本書で解いてみせよう。

娘が母を殺すには?

「母と娘の物語」を読み進め、未解決の謎に挑もう。

---

[1] 太宰治『人間失格』新潮文庫、1952年、初版1948年

[2] 齊藤彩『母という呪縛 娘という牢獄』講談社、2022年

[3] ジークムント・フロイト著、中山元訳「ドストエフスキーと父親殺し」『ドストエフスキーと父親殺し/不気味なもの』所収、光文社古典新訳文庫、2011年、原著1928年

[4] 精神分析学者のカール・グスタフ・ユングは、エディプス・コンプレックスの娘バージョンを構想した。父母娘の三角関係で娘の成熟を読む「エレクトラ・コンプレックス」である。ユングは、父の仇《かたき》を討つために母を殺す娘エレクトラの物語からこの型を着想した。「エレクトラ・コンプレックス」について真剣に検討したのは、ラカン派の精神分析学者たちだっ

た。
　しかし問題は、文学作品のなかに、エレクトラの構造がほとんど見つからないことだ。少なくとも、日本で生まれた物語のなかには、エレクトラの構造は発見できない（詳しくは第三章で書いているが、そもそも母娘の物語のなかで「父」が存在感を持つことがほとんどないのだ）。そのため本書では、エレクトラ・コンプレックスのような「エディプス・コンプレックスを単に反転させた構造を点検すること」ではなく、「娘の『母殺し』の物語を描き出すこと」が必要であると判断した。

［5］このような母性原理を根底にした関係を、精神科医の小此木啓吾《おこのぎけいご》は『日本人の阿闍世コンプレックス』（中公文庫、１９８２年）で、フロイトの提唱したエディプス・コンプレックスと対峙《たいじ》させる形で、日本型の親子関係とそれに伴う社会構造として「阿闍世《あじゃせ》コンプレックス」と名付けた。ユング派の心理学者である河合隼雄《かわいはやお》は、この阿闍世コンプレックスの概念をもって日本社会を「母性社会日本の病理」と論じている（『母性社会日本の病理』中公叢書、１９７６年）。本書の父性原理、母性原理の違いは河合隼雄の議論を参考にした。したがって現代の父と母のあり方とは異なる点もあるが、あくまで精神的な父性原理と母性原理の差異を24ページの図表のように考えた。

［6］母と息子の間にも、フロイトの「父殺し」モデルでは解決できない大きな問題があるのだろうが、本書では母と娘の関係に絞って問題を提示する。

［7］エッセイストの酒井順子は『ガラスの50代』（講談社、２０２０年）において、50代になっても「できれば母と仲良くやっていきたい」「これ以上母を嫌いになりたくない」と語る娘たちの姿を指摘する。50代になっても母は娘にとって「できれば仲良くやっていきたいが、なぜか仲良くなれない存在」なのだ。

［8］「毒母」「毒親」という言葉も流行した（信田さよ子『母・娘・祖母が共存するために』朝日新聞出版、２０１７年）。

［9］信田さよ子『母が重くてたまらない　墓守娘《はかもりむすめ》の嘆き』春秋社、２００８年

2 母が死ぬ物語

――「イグアナの娘」『砂時計』「肥満体恐怖症」

「イグアナの娘」と母の呪い

少女漫画や少女小説といった、娘たちが読む物語のなかには、しばしば「母が死ぬ物語」が存在する。

「母が死ぬ物語」とは、いわばもっとも直接的に「母殺し」を試みた作品群だ。それらの主人公たちは、母が死んだことを契機に、母が自分に与えた規範と向き合うことになる。

たとえば、1992年に萩尾望都によって描かれた短編漫画「イグアナの娘」[1]も、母と娘の葛藤を描いた「母が死ぬ物語」のひとつだ。

物語はある母親が娘を出産した際、その姿を見て叫び声を上げる場面から始まる。なぜなら、赤ん坊の娘・リカが、醜いイグアナの姿をしていたからだ。

母親は、「こんなトカゲにしか見えない子が自分の娘なんて」「神様、普通の女の子を授けて！」と願う。そして、望み通り人間の姿をした妹・マミを出産してからは、いっそうリカに冷たく当たる。結局、イグアナの姿をしたリカを、母は生涯愛することはなかった。

一方リカは、母親による理不尽な扱いにさらされ続けながらも、勉強もできる立派な娘に育ち、「牛」のような男性と結婚して、幸せな新婚生活を送っていた。

そんなある日、突然、母の訃報《ふほう》が届く。

「ホッとした」「ちっとも悲しくない」と思いながら、母の通夜に行ったリカは、母の死に顔を見て驚く。母の顔が、自分と同じイグアナそのものだったからだ。

――その晩リカは夢を見る。母はイグアナの姫だった。人間の王子様に恋をした母は、魔法使いに「私を人間にして」と頼み、「イグアナであることを気づかれてはいけない」という条件のもと、人間にしてもらったのだ。

目が覚めたリカは、自分が母と同じイグアナの姿で産まれたことで、どれだけ驚き傷ついただろう、と亡くなった母に思いを馳《は》せた。

「でも　もういい　あたしは夢でガラパゴス諸島へ行って　母に会った　あたしは涙と

一緒に　あたしの苦しみを流した
どこかに
母の涙が　凝っている」

（「イグアナの娘」）

「イグアナ」とは、母の容姿コンプレックスのメタファーであり、「ありのままの姿では、好きな人と結ばれることはない」と、娘の欲望を縛り上げた。母は自身のコンプレックスを娘に投影し、死ぬまで娘を愛することができなかった。

一方リカは、母の死をきっかけに、母がなぜ自分にイグアナを見たのかを理解し、母を許す。「ありのままの姿では、好きな人と結ばれることはない」という母の規範は、イグアナの姿の自分を愛してくれる男性と結婚し、母が亡くなったことで解除される。ここからようやく、リカの人間としての人生が始まる。その証《あかし》に、最後のコマにおいては、人間のシルエットのリカと、夫と娘の姿が描かれている。

結婚して親元を離れても解けなかった「イグアナ」の呪い＝母の規範は、母の死をきっかけに、ようやく解けたのであった。

『砂時計』が見せる「母殺し」の困難さ

続いて、芦原妃名子の漫画作品『砂時計』［2］を取り上げたい。この作品もまた、「イグアナの娘」と同じく、「母が死ぬ物語」である。

12歳の主人公・植草杏《あん》は、母の離婚をきっかけに、東京から祖父母の暮らす島根県に引っ越してきた。最初は田舎の空気に馴染《なじ》めなかった杏だが、シングルマザーになった母を支えようと奮起するうち、村の子どもたちと仲良くなる。だが、精神的に弱いところのあった母は突然、自殺してしまう。その後、杏は再び東京で暮らすことになり、物語の舞台は島根と東京を行き来しながら、12歳から26歳になるまでの杏の恋愛模様と成長を描く。

作中、杏は「なんでこんなに心が弱いんだろう」「強くなりたい」と、何度も苦しむ。つまり、母の自死が与えた「自分にも母と同じ心の弱さがある」という規範を、ずっと手放すことができないのだ。

物語の終盤、「もう弱い頃のあたしじゃない」と、規範と決別したかに見えた杏だったが、ある出来事をきっかけに傷心し、自殺未遂を起こしてしまう。そのとき杏は、母が自分を連れていかずにひとりで亡くなったのは、母なりの精一杯の愛情だったのだと理解する。

この出来事を経て杏は、母の死に正面から向き合い、母のすべてを許すに至る。異性との恋愛や仕事を通して手放そうと試みるも、決して手放すことのできなかった「心の弱さ」という母の規範。その解除の契機となったのは、自殺未遂をした際に、「死にたくない」と思っている自分に気づいたことだった。杏は母と同じ場所に行くのではなく、友人やいまいる家族を大切にして生きていくことを選ぶ。

そして物語のラストシーンでは、「他者を幸せにする」という決意をすることで、「心の弱さ」という母の規範を完全に手放す。つまり『砂時計』の主人公もまた、「イグアナの娘」と同様に、死んだ母の規範ではなく、友人や恋人、家族との幸せを選ぶことで「母殺し」をおこなっているのだ。

これらの少女漫画の「母が死ぬ物語」は、死してなお強固に残る母の規範の存在を私たちに教えてくれる[3]。母は死んでもなお、娘に精神的な規範――欲望や行動の基準――を与え続ける。「イグアナの娘」や『砂時計』の主人公たちは、母の死を契機にして、自分が与えられた規範を見つめ直すことに成功する。

しかしこれは、裏を返せば、母が死ぬような状況でもない限り、「母殺し」は困難であるということでもある（『砂時計』に至っては、主人公自身も自殺未遂という究極の選択をおこなっている）。さすがにそのような極端な状況を「母殺し」のモデルにするのは難しい。

「肥満体恐怖症」と母への愛着

本節の最後に、母が死んだのちに、娘が母の規範を手放すのではなく、逆にいっそう母の規範を受け入れようとする「母が死ぬ物語」を紹介したい。

松浦理英子［4］による短編小説「肥満体恐怖症」［5］は、母に対する罪悪感から、母の規範を受け入れようとする娘の物語を描いた傑作である。

主人公の女子大生・唯子は、肥満体の女性がとても苦手だ。その背景には、太っていた母を「恥ずかしい」と嫌悪するようになった幼少期の記憶が存在している。

見るからに人が好さそうなせいか、他の父兄たちにおだて上げられ、危くPTAの役員をやらされそうになったことがあるらしい。それをまた無邪気に得意がって話す母親に向かって、とうとう唯子は言ってしまった。

「もう学校になんか来ないでよ。おかあさん太ってるんだもの。恥しくって。」

その時の母親の表情を思い出すと、今でも声を上げたくなる。言った瞬間後悔したがすでに遅く、母親は金縛りにでもあったかのように大きな体を硬直させた。いたたまれなくなった唯子が部屋を出ようとしても、顔を向けもしなかった。罪悪感で眠れぬ一晩が過ぎた。翌朝母親は平生と全く変わらず、唯子の失言も忘れたかのように見えた。しかし、その後母親は一度も授業参観にやって来なかった。乳ガンで死んだのは次の年の秋である。唯子は十歳だった。

（「肥満体恐怖症」）

その後、唯子は大学生になり、入った寮の同室には、3人の太った女の先輩たちがいた。先輩たちは、まるで母が娘に規範を与えるかのように、唯子に「あなたも太りなさい」と言い、唯子を支配しようとする。

先輩たちの支配に対し、当初は「物を盗む」ことで反抗しようとしたものの、「自分が母を死なせたのではないか」という罪悪感から逃れられない唯子は、最終的に自分も太ることを受け入れ、母や先輩への愛着に気づく。

印象的なのは、まるで娘が母に「許してほしい」と言うかのように、唯子が先輩たちに「許して」と告げる最後のシーンだ。ここで、唯子は「本当は肥満体（＝母）を愛し、愛されたかった」という自らの願いに気づく。

私はこうやって肉を呑み込んでは肥大して行くだろう。永原のように、水木のように、母親のように。私は私でなくなってしまう。私は肥満体を愛するようになるだろう。それこそが私のずっと望んでいたことなのだ。母親を死なせてからずっと。

許して。あなたたちから盗んだ物はみんな返すし、私の持っている物はみんなあげるから。もう何もいらない。だから、優しくして。愛して。声になっているかどうかもわからぬまま、唯子は夢中で哀願した。

（「肥満体恐怖症」）

「肥満体への嫌悪」によって、母の規範にずっと抵抗してきた娘が、母の規範にずぶずぶと取り込まれてしまう。松浦理英子が「肥満体恐怖症」で描いたのは、「母殺し」とは真逆のストーリーだった。

なぜ、このようなことが起きてしまうのか。それは「母の規範に取り込まれること」とは、「母と一体となること」であり、そこにはまさにずぶずぶと肉に呑み込まれるような快楽が伴うからだ。だから、多くの娘が、自ら望んで母の規範の内部に留まってしまう。ここに「母殺し」の困難さの本質がある。

詳しくは次節で検討するが、母の規範の内部にいることは、娘にとって決してつらいだけのことではなく、気持ちいいことでもある。そして社会も、そのような母娘像を礼賛《らいさん》する。だからこそ「イグアナの娘」や『砂時計』のように、母が死ぬことでもない限り、娘たちは母の規範から脱出するきっかけをつかめないのだ。

「母を許せない自分」を愛せない

「イグアナの娘」『砂時計』「肥満体恐怖症」――この節では、少女を主人公とする「母が死ぬ物語」を見てきた。

「母殺し」は達成できた主人公もいれば、できなかった主人公もいるが、これらの作品の「娘」たちにはある共通点がある。

それは、母の死後、娘たちが母を「許そう」と努力することだ。

自分に規範を与え、自分を許さない母を、なぜ娘たちは許そうとするのだろう？

その答えは、『砂時計』の杏の台詞《せりふ》に見てとれる。

　思えば　あたしはずっと憎んでいたのかもしれません

「一人で逝ってしまったママ」を

「ママを許せない自分」を

（『砂時計』8巻）

「ママを許せない自分を憎んでいた」のだと『砂時計』の娘は言う。

つまり、母を許さなければ、娘は自分を嫌いになってしまうのだ。多少の葛藤があったところで、自分を産み、育ててくれた母を、娘は許さなければならない。母を許せない自分には、どこか欠陥がある。そんな価値規範に娘自身がとらわれてしまう。だから「母殺し」は困難なのである。

　母の規範にとらわれ、葛藤を抱える娘に対するアドバイスとして、「自分を許

芦原妃名子『砂時計』8巻、小学館フラワーコミックス

さない母なんて、許さなければいい」という言説を目にすることはしばしばある。「母を手放そう」「母を切り捨てよう」「母を諦めよう」、そう言う人もいるだろう。実に合理的なアドバイスだし、その通りだとも思う。

だが、そう簡単に割り切れないからこそ、母娘の問題は難しいことを、数々の作品が説いている。では、いったいどうすれば、娘たちは「母殺し」を達成できるのだろう？

［1］萩尾望都「イグアナの娘」『イグアナの娘』所収、小学館文庫、2000年、初出『プチフラワー』小学館、1992年

［2］芦原妃名子『砂時計』1〜10巻、小学館フラワーコミックス、2003〜2006年

［3］少女漫画というジャンルは繰り返し「母殺し」の困難さ——愛されているかどうかを確認する話——を描いてきた。少年漫画が繰り返し「父殺し」——自分が父よりも強くなる話——を描いているところを見ると、対照的である。

［4］松浦は「肥満体恐怖症」について、自覚的に「母と娘の物語」を描こうとしたと語っている。
たしかにいま、フェミニズムでも、あるいはもうちょっと中立的な女性論であっても、母と娘の問題というのが一つ大きなテーマと見做されていて、いろいろなところでいろいろな議論をやっていますね。私はどうかというと、母と子というモデルケースを使って物を考えていたのが、ちょうど『肥満体恐怖症』を書いていた頃なんですよ。あれはまさにビッグママ（大地なる母）というものに子供が圧し潰されていくという話なんです。（中略）母と子の関係は、一つのモデルとして支配——被支配という関係を抽出できるんだけれども、子供のほうも母親に対して子供の抑圧というものを加えている。小説でそういう母子の関係を書いていく場合、絶対に子供が加害者になっている部分もあるわけでしょう。私が小説の中で描いているのは、そういうことじゃないかな。
（松浦理英子、笙野頼子「ペシミズムと快楽と」『おカルトお毒味定食』所収、河出書房新社、1994年）

［5］松浦理英子「肥満体恐怖症」『葬儀の日』所収、河出文庫、1993年、初出1980年

3 「母殺し」はなぜ難しいのか？

戦後日本の専業主婦文化が生んだ母娘密着

なぜ「母殺し」は難しいのか。前節では、この理由として、「母を許さなければならない」という価値規範に娘が既に取り込まれてしまっているという論点を挙げた。

その背景には、「母と娘が（父と息子に比べて）密着しやすい構造」が存在している。つまり母と娘の仲が良いからこそ、娘は母の弱さを「許さなくては」と感じてしまうのだ。

ではなぜ、母と娘は密着しやすいのだろう？

実家にいる間は仕方ないにしても、扶養を外れて経済的に自立したり、結婚や出産をしたりすることで、母と娘は物理的に離れる。そうした過程で、娘が母の規範を手放すタイミングも訪れるはずだ。だが実際には、年齢や物理的な距離に関係なく母娘の密着は起こりやすいことを、本書で読むさまざまな作品が示している。

こうした母娘密着が特に日本で起きやすい要因について、臨床心理士の信田さよ子は、社会構造から説明している［1］。信田の議論を整理すると、戦後日本の中流家庭において以下の条件が重なったことが、母娘密着の要因として挙げられる。

① 夫婦のディスコミュニケーション

妻が専業主婦として家事のすべてを担う家庭では、夫が息子のような立ち位置になり（信田は「夫が子どものようなポジションで妻にケアを要求する」と表現する）、妻と夫が対等なコミュニケーションをとれない。母にとっては、夫より娘のほうが、趣味や話の通じる相手になる。

② 娘の経済的／育児リソースの貧しさ

女性は男性に比べて経済的に不安定であり、育児の役割を一手に引き受けることが多い。そのため、外部に住まいや育児の手助けを得る必要があり、大人になっても母に頼る動機がある。

③ 母のキャリアに対する罪悪感

娘は専業主婦である母に対して、「自分を産み育てるためにキャリアや自由を断念し、犠牲になった」という罪悪感を持ってしまうため、母の面倒を見てしまう。

つまり、母にとっては「異性の夫や息子よりも、娘のほうが自分のケアをしてくれそうな存在」であり、娘にとっても「同世代の異性より、母のほうが家事や住居について頼れそうな存在」[2]なのだ。そして、娘が母に頼られたときには、「自身を育てるために犠牲になったことへの申し訳なさ」から、母のケアを引き受けてしまう。このような要因があるために、年齢を重ねても娘は母を手放せないのだと信田は説明する。

友達のようになんでも娘に相談する母、里帰り出産をし、母と一緒に子育てする娘——言われてみればそれらはたしかに、私自身もしばしば目にする、ありふれた母と娘の姿である。

そして、信田が挙げた3つの要因はどれも、「男性が家の外で働き、女性が家のなかでケアすること」を前提とした、戦後日本の専業主婦文化の産物である。

いわば夫が労働を、妻が家事と育児を担うことを前提とした戦後家族モデル[3]の性別役割分業こそが、信田の挙げた①〜③の原因をつくりだしているのだ。

①夫婦のディスコミュニケーション　↑男性の長時間労働
②娘の経済的／育児リソースの貧しさ　↑女性の非正規雇用率の高さ
③母のキャリアに対する罪悪感　↑専業主婦システム

男性の長時間労働が夫婦のディスコミュニケーションを生み、女性のキャリア形成＝経済的自立の困難さが、女性を実家に縛る。出産や育児を通じて、娘はさらに実家の母と密接になる。そして女性は、（本来は「専業主婦」というシステムの問題であるにもかかわらず）「母がキャリアを積めなかったのは自分のせいだ」と罪悪感を覚える。

母と娘が密着しやすい原因は、戦後日本の中流家族モデルにおける性別役割分業の固定化、つまりジェンダーギャップが生み出したものだった［4］。

「母」が専業主婦じゃなくなっても

戦後の専業主婦文化が生み出した社会のジェンダーギャップが、母娘の密着を強化し、娘の「母殺し」を困難にしている。

では、母が専業主婦でなくなれば、母娘密着の問題は解消され、娘の「母殺し」は可能になるのだろうか？　私は「否」と考える。実際、両親の共働きも多くなった現代でもなお、母と娘の物語は生み出され続けている。

たとえば、虐待される娘の物語、宇佐見りんの『くるまの娘』［5］は、現代の共働き文化においても「母殺し」が困難な理由を描き出した小説である。

親から虐待を受けている娘・かんこは、警察や社会福祉など、家族の外にいる人間が介入し、家族を切り離すことをよしとしない。かんこは家族でドライブを続けながら、閉じ込められた家族のなかに居続けることを選択する。

『くるまの娘』には、母だけでなく、父母双方のケアを担おうとする娘の姿が描かれている。作中、兄と弟は「くるま」、すなわち家族から抜け出したのに、娘のかんこは家族を支え続ける。娘だけが車のなかに留まってしまう。

親の虐待に苦しむかんこに、多くの人々が「そんな親からは逃げたほうがいい」というアドバイスをするだろう。しかし、かんこは母の運転する車から逃げようとしない。かんこは「家族をほうって逃げたくないのだ」「あのひとたちはわたしの、親であり子どもなのだ」と叫ぶ。どれだけ虐待を受けても娘として親への愛着を抱き続け、親のケアを進んで引き受けようとしてしまうのだ。

ここに「娘」の病理がある。

専業主婦文化が消えたいまもなお、「親のケアを担うのは娘である」というジェンダーロール（性役割）を、娘たちは進んで受け入れるのだ。

ジェンダーギャップと娘にケアを求める母

なぜ「息子」は家庭から逃げられるのに、「娘」は逃げられないのか。この問いの答えは、「娘」と「息子」で、家庭における扱われ方＝与えられる規範が異なる点にある。

社会学者の品田知美《しなだともみ》は、「娘」と「息子」の扱われ方の差異が見える例として、西原理恵《さいばら》子の漫画『毎日かあさん』を挙げる［6］。『毎日かあさん』は母視点で娘や息子と過ごす日常を描いた漫画だが、「ダメ息子」と「しっかり娘」という表象が繰り返し描かれている。『毎日かあさん』で示されている論理はこうである。息子をはじめとした男の子たちは、甘えん坊で、バカで、だけど目を細めてかわいがるほどにかわいい。一方で、娘をはじめとした女の子たちは、小さい頃からウソ泣きするような賢さを持っている。それゆえに、母が娘を自分と対等な人間として扱い、息子を愛すべき未熟な存在として育てるのは、当然のことである。

つまり「息子」はケアすべき対象であるのに対し、「娘」はきょうだいのケアを手伝ってくれたり、ときには親のケアまでしてくれさえする、ケアの主体になっているのだ。

品田知美は『「母と息子」の日本論』において、「ダメ息子」と「しっかり娘」の対比はフィクションだけに限った図ではなく、X（旧Twitter）をはじめとする日本社会のSNS空間においても、再生産され続けている構図であると指摘する。「娘はしっかりしているから、弟や妹の世話を任せられるけど、息子はいつまでもバカで頼りない。しかしそこがかわいい」と語る親は、いまだに多いのだという。

たしかに『毎日かあさん』ほど露骨ではなくとも、「娘はしっかりしている」「息子は幼い」という「しっかり娘」と「ダメ息子」の対比は、社会において一般的に見られるものだ。その結果、何が起きるか？「娘」は弱い親に対して、「自分がしっかりしなきゃ」「自分が親を支えなきゃ」と思ってしまう。

日本のジェンダーギャップは、「娘」を親と対等の存在としてまなざす。そうした期待の視線のもとで、娘は親をケアする役割を担う。そしていつのまにか、「母」をケアする娘が誕生する。母娘密着は、こうして永遠になる。

「母殺し」が困難な社会で

本節で見てきた母娘密着の原因をまとめると、以下の通りになる。

(一) 母が夫より娘にケアを求めてしまうこと

(2)娘の経済的自立が困難なこと

(3)娘が母の人生に負い目を感じやすいこと

(4)娘は息子より「しっかりした子」であり、親と対等な存在として育てられやすいこと

なかなかにがんじがらめの、「母殺し」が困難な社会である。しかしそれでも、「娘」が自由に生きていくために、どんな方法があり得るのだろうか。第二章からは、再び作品の「母殺し」を検証することで、その可能性を探っていきたい。

---

[1] 信田は、実家の母を重たく感じる娘を「墓守娘」と名付け、彼女たちが生まれた原因を以下のように語る。
「墓守娘の嘆き」などということばが本の題名になるなんて、今から四〇年前、私が二〇代前半だったころには想像もできないことだった。このことばがリアルな共感を呼ぶには、いくつかの社会的条件が必要だ。それは、母親の寿命が延びたこと、高学歴化により娘の結婚年齢が上がったこと、母親にそれなりの経済的豊かさがあること、娘が働いていること、しかも非正規雇用の人口が増大することで経済的には不安定な状態であること、少子化により一人娘が増えたこと、などだ。その結果、息子(長男)ではなく娘が母親の依存対象になり、同時におとなになった娘がいつまでも親に経済的に依存することが社会的に容認されるようになった。

(信田さよ子『母が重くてたまらない　墓守娘の嘆き』春秋社、2008年)

ここに挙げられている「墓守娘」の社会的条件は、そのまま母娘密着の要因として考えられるだろう。

[2] 社会学者の金田淳子は、母娘密着の原因を「男性よりも女性のほうが経済的自立がまだまだ困難である」ことにあると指摘している(「その後の『ホームレス化する大学院生』母娘地獄変」『ユリイカ　2008年12月号　特集＝母と娘の物語　母/娘という呪い』所収、青土社、2008年)。

[3] 山田昌弘『迷走する家族　戦後家族モデルの形成と解体』(有斐閣、2005年)は、「夫は仕事、妻は家事・子育てを

行って、豊かな家族生活を目指す」家庭像を「戦後家族モデル」と呼び、高度経済成長期は日本で「戦後家族モデル」が標準化された時期であったことを指摘する。

［4］ 上野千鶴子も、娘に限らず息子も含めた母子密着が起きる原因として、「生産の場から放逐され、『母』であることにだけ存在証明がかかるようになった『専業の母』」を生んだ戦後日本の専業主婦文化を挙げている（『近代家族の成立と終焉』岩波書店、1994年）。さらに井上清美『現代日本の母親規範と自己アイデンティティ』（風間書房、2013年）は、専業母を正当化する規範を「近代的母親規範」と名付け、母のアイデンティティが育児に規定されてしまう構造を指摘した。

［5］ 宇佐見りん『くるまの娘』河出書房新社、2022年

［6］ 品田知美『「母と息子」の日本論』亜紀書房、2020年

第二章

「母殺し」の実践

1

対幻想による代替

――1970〜1980年代の「母殺し」の実践

『残酷な神が支配する』と母娘の主題

第二章では、少女漫画や少女を主人公に据えた小説が、どのように「母殺し」を試みてきたのか、具体的な「母殺し」の実践方法について検証する。

ふたたび萩尾望都の話をしよう。1992年に「イグアナの娘」で母の呪いを描いた萩尾は、同年、『残酷な神が支配する』〔1〕の連載を開始する。本作でも「イグアナの娘」と同様に、母が死んだ後の「母殺し」が描かれる。

主人公は、ボストンに住む少年・ジェルミ。彼は母・サンドラの再婚を契機にイギリスに移り住むと、義父から性的虐待を受けるようになる。

地獄のような日々に耐えかねたジェルミは、車にある細工をして、義父を殺そうとする。しかし間違って、母・サンドラを義父とともに殺してしまい、激しいトラウマに苦しむ。

「サンドラがあの朝車に乗る前に告白してれば　止められたんだ」
「…いえない！　知ったら…彼女はぼくを許さない……！」

（『残酷な神が支配する』９巻）

「母が許さない」――この言葉を萩尾望都は少年に呟かせる。萩尾はジェルミという少年の身体に、娘の母に対する葛藤を忍ばせていたのだ。

『残酷な神が支配する』の秀逸さは、母の支配から逃れる難しさを見事に描き出している点にある。

一見すると、タイトルの『残酷な神が支配する』の「残酷な神」とは、義父・グレッグのことを指しているように思われる。しかし物語を後半まで読むと、母・サンドラは自分が愛されるためジェルミを生贄《いけにえ》にしていたのであり、「残酷な神」とは実は母・サンドラのことを指していたのだとわかる。

母・サンドラは、「弱さ」をもってジェルミを支配していた。「暴力＝強さ」で支配してくる父が相手であれば、自分が強くなることで「父殺し」が達成され、その支配から抜け出すことができる。

だが、「弱さ」の支配から抜け出すのは難しい。とりわけジェルミのように、「母は弱いから自分が支えなくてはいけない」と考える子どもは、母という「残酷な神」の支配から、決して抜け出すことができない。萩尾はそのような母による支配の構造を浮き彫りにした。

「母に代わるパートナーを見つける」という「母殺し」

『残酷な神が支配する』の後半、トラウマからぼろぼろになったジェルミを救ったのは、義兄のイアンだった。

イアンはジェルミを丁寧に世話し、愛する。

そんなイアンに対して、ジェルミが寝言で「ぼくを……生んで…」と伝える場面がある。このシーンでジェルミは、イアンの「はらの中の胎児のように丸まっている」。つまりこのときジェルミは、まるでイアンという母の胎内に存在しているかのように描かれているのだ。この発言を聞いたイアンは、わけもわからず「なんでオレが？　オレは　オスだぞ…」と混乱しながらジェルミを見つめる。

萩尾望都『残酷な神が支配する』10巻、小学館文庫

しかし考えてみると、ジェルミをデートに誘ったり、献身的に世話したりしつつ愛するイアンの姿は、まさに「母」そのものである。さらにジェルミは、「やだよ　恋人でもないのに恋人みたいにベタベタ」と言いながら、外でイアンとベタベタするのを嫌う。この描写も、まるで反抗期の息子と息子を溺愛する母のようだ。

そして物語の終盤、ジェルミは母の墓の前で、母が自分を愛してくれなかったことを受け入れる。そんなジェルミをイアンは抱きしめ、こう唱える。

「その日　オレはようやく　彼を生んだ——…

——気がした」

（『残酷な神が支配する』10巻）

「ぼくを生んで」と言い、胎児のように丸まっていたジェルミは、このときイアンから生まれ、母の役割をイアンというパートナーに完全に移管する。

萩尾望都『残酷な神が支配する』10巻、小学館文庫

ジェルミの痛みを知り、理解し、愛し支えるイアンの母性。それは、現実の母が持ち得なかった、完璧な母性そのものだった。つまりジェルミは、サンドラという「残酷な母」を手放し、イアンという「完璧な母」から生まれ直すことで、「母殺し」を達成したのだ。

そう、『残酷な神が支配する』は、萩尾が少年の姿で描き直した「母が死ぬ物語」であり、『母殺し』の物語」であった。

「ポーの一族」と永遠のパートナー

『残酷な神が支配する』における「母殺し」の方法とは、「現実の母を手放し、パートナーを新しい母とする」ことだった。

実は萩尾は『残酷な神が支配する』以前にも、このような構造を持つ少年たちの物語を描いている。

その筆頭が、「ポーの一族」〔2〕だ。

主人公の少年・アランは、母の不貞を知ってショックを受ける。そしてその衝撃のあまり、不貞相手の伯父を窓から突き落としてしまう。そんなアランに、窓から現れた少年・エドガーは手を差し伸べ、こう告げる。

「おいでよ……
きみもおいでよ
ひとりではさみしすぎる……」

（「ポーの一族」）

そしてエドガーとアランは、永遠の旅に出るために、ふたりで窓から飛んでゆく。アランがエドガーの手を取ることは、人間でない存在、バンパネラになることを意味する。母を失った少年たちは、バンパネラになるという痛みを共有しながら、永遠に一緒にいることを決める。

母を諦め、母の代わりとなるパートナー（多くの場合は、同性の同級生の少年たち）に「完璧な母性」を求める——萩尾は「ポーの一族」の時代から、この主題を繰り返し描いてきた作家なのである。

しかしこの「完璧な母性」とは何だろう？　萩尾作品において、それは「翼」——自己犠牲を伴った愛情のことである。

たとえば『トーマの心臓』［3］において、トーマはある傷を負った同級生のユーリを生かすために死ぬ。このトーマの自己犠牲によって、ユーリは傷を回復するに至るのだが、トーマはユーリに、このような台詞を告げている。

「もしぼくに翼があるんならぼくの翼じゃだめ?
ぼく片羽きみにあげる……
両羽だっていい　きみにあげる　ぼくはいらない
そうして翼さえあったらきみは……」

(『トーマの心臓』)

このような自己犠牲を伴った愛情、つまり「翼」こそが、萩尾作品における母性の正体だ。しかしそのような「翼」は、実際の母からはもたらされない。なぜなら、自己犠牲を伴う母の愛情とは、日本の母性信仰が強化した幻想であり、実際の母は容易に子を裏切るからだ。だから、「翼＝女性が宿し得ない完璧な母性」は、同性の少年によってもたらされる。それは、『トーマの心臓』ではトーマの翼であり、「ポーの一族」ではエドガーが差し伸べた手であり、『残酷な神が支配する』ではイアンによる抱擁だった。

萩尾作品の少年たちは、「母」の喪失に動揺しながらも、同級生の少年のパートナーに

「母」を受け継がせ、少年同士で慰撫《いぶ》しながら生きてゆく。
これこそが萩尾が提示した、「母殺し」の方法だった［4］。

落ちる母、飛ぶ娘

余談ではあるが、萩尾望都の作品には、しばしば「落ちる」運動が描かれる。たとえば「ポーの一族」では、母の不貞の相手である伯父が窓から転落し、『残酷な神が支配する』では、母と義父を乗せた燃え盛る車が転落し、『トーマの心臓』では、「翼」をユーリに渡したトーマが陸橋から落ちて死ぬ。まるで、不完全な母性が、重力に引っ張られるかのように。

その重力に抗《あらが》うことができるのは、「翼」を持った天使だけなのだ。「翼」を持った者は、重力に逆らい、落ちずに飛んでゆくことができる。そしてその「翼」は、少年たちによって授けられる。

『残酷な神が支配する』のなかで、イアンがジェルミとのセックスを「飛んでるみたいだった」と表現する場面がある。これはまさに、ジェルミがイアンから「翼」をもらっている描写そのものだ。

なぜ、「少年」から「翼＝完璧な母性」がもたらされるのか？　それは少年同士なら、彼らを永遠に「母」にせずに済む――家父長制に回収されない、完璧な対幻想を綴ることができるからである。萩尾望都は、「母」にならなくていい「娘」の物語を描くために、娘たちの葛藤を少年の身体に移さなくてはならなかった。

山岸凉子のキャラクターはなぜ「細い」のか？

母を諦め、母の代わりとなる同性のパートナーを見つける――これこそが萩尾望都の提示した「母殺し」の方法だった。

一方で、この「母殺し」の実践に対して、「母の代わりとなるパートナーを見つけても、『母殺し』は達成できないのではないか」という問いを提示したのが、漫画家の山岸凉子だ。そんな山岸の作品を読んでいくにあたって、まずはこんな問いについて考えてみたい。

なぜ、山岸凉子の描くキャラクターは「細い」のだろう？

山岸凉子の描くキャラクターは、絵柄の問題というよりも、実際に「細い」場合も多い。なぜなら彼女は、『舞姫　テレプシコーラ』や『アラベスク』など、バレエ漫画をよく描いているからだ。しかし、バレエ漫画以外の作品においても、山岸の描くキャラクターは細い。ちなみに、山岸本人も細いらしい［5］。

萩尾望都の回想録『一度きりの大泉の話』では、山岸が一度編集部に「顔を丸く描け」と言われて変えた絵柄を戻し、「長い顔」を描き始めたというエピソードも収録されている。つまり、山岸凉子の描く作品において、顔および容姿の「長さ＝細さ」は重要な要素なのだ。なぜなら、山岸作品において「細い」ことは、成熟のない、性が存在しない世界に住んでいる証であるからだ。

たかが絵柄の話だと思われるかもしれないが、「細さ」は少女たちにとっては重要なテーマであり、とりわけ『ＪＵＮＥ』的な世界においては何よりも重要なことであった［6］。その証に、山岸凉子はたしかに作中で、少年たちを細く軽やかな「肉体を持たない」存在として描こうとする。それは、中島梓が指摘した「性のない宇宙」の実現だったと言えるだろう。

だが、何もしなくても細くいられる少年たちと違い、山岸作品の少女たちは「細くあろう」と執拗《しつよう》にダイエットをする。たとえば、カーペンターズをモチーフにした漫画「グリーン・フーズ」（ＫＡＤＯＫＡＷＡ、初出１９８７年）や『舞姫　テレプシコーラ』（ＫＡＤＯＫＡＷＡ、２０００〜２００６年連載）には、拒食症という主題が描かれる。短編漫画「鏡よ鏡…」（集英社、初出１９８６年）では、母の嫉妬がきっかけで、ダイエットをしてアイドルデビューを目指す娘が主人公に据えられる。

どの少女も細くあるため、そして年を取らないため――無理に成長を止め「成熟しない」ためにダイエットを志す。その結果、少女たちは自傷に至り、不幸な結末を迎える。そして彼女たちの葛藤の背後には、常に「母」が存在する。

山岸の描くキャラクターはいつだって細い。それは「母殺し」ができず自らを傷つける娘の姿そのものだった。

『日出処の天子』の母の嫌悪とミソジニー

山岸凉子の長編漫画『日出処の天子』［7］は、山岸が「母殺し」のテーマに挑んだ物語である。

主人公の厩戸《うまやど》王子は、不思議な力を持つ超能力者だった。しかしその能力ゆえに、母から忌み嫌われ、人々から距離をとられていた。そんな厩戸王子と蘇我毛人《えみし》は、運命的な出会いを果たし、10代のうちから交流を深める。

厩戸王子は蘇我毛人と出会った当初から、はっきりと女性への嫌悪を口にし、「大嫌いだ」とまで叫ぶ。そして、そんな厩戸王子がはじめて恋した相手は、同性である蘇我毛人だった。

この作品について、上野千鶴子は「女嫌い」と「少年愛」の関係性を指摘する。

少女は少女のままでは自分を愛せない。少女の自己愛は、必ず挫折する運命にある。というのは、男性文化の中で少女は自分の性を自己嫌悪しているからである。

少年愛マンガにも異性は登場する。だが、作者がそこで示すあからさまな女性嫌悪misogynyは興味深い。

（中略）

山岸涼子の『日出処天子』でも、両性具有の超能力者、厩戸王子《うまやどのおうじ》は、あからさまな女嫌いを示す。（中略）

彼ら両性具有的なヒーロー、理想化された自己像が示す女性嫌悪を、女性のマンガ家たちはどんな気持ちで描き、同じく女性の読者は、どんな気持ちで読んでいるのだろうか。

女が示す女嫌いは、自分の属する性からの離脱のために、必要不可欠な遠心力である。この反発力によって、少女マンガ家は、少年愛の世界を、嫌悪するに足る女性性の汚染が及ばない高みへと離陸させる。したがって、少女にとって自己愛は、マゾヒズムに満ちたものである。

（「ジェンダーレス・ワールドの〈愛〉の実験」［8］）

上野は、厩戸王子の叫ぶ女性嫌悪を、読者である少女たちの叫びそのものだと分析する。たしかに厩戸王子は男性でありながら、女装をすることも多く、どこか両性的な存在として登場する。厩戸王子は毛人に恋をしていながら、自身の政治における権力のために3人の妻を娶《めと》っている。それは「男性に恋をする存在でありながら、男性に虐げられる立場にある女性ではない」という、少女の矛盾した欲望を体現する存在だ。

しかし厩戸王子の女性嫌悪が、「母への嫌悪」から来ていることは、上野の指摘において見落とされている。

厩戸王子の母に対する嫌悪は物語の冒頭から描かれており、厩戸王子が母・間人媛《はしひとひめ》のことをじっと見つめるコマがいくつか存在する。

母・間人媛は、10代にして権力や能力を操ろうとする厩戸王子のことを「彼は人間らしくなくて、得体が知れない」と不気味に思い、「異常」と評する。一方、厩戸の弟である来目《くめ》王子のことはいつもかわいがる。普通の子どもだからだ。

そして蘇我毛人は、母・間人媛が厩戸王子に向ける嫌悪の視線こそが、厩戸の孤独を生み出していることを理解する。

「あの子が何をやってきたか　わたしにはわかっているのです　それで」
「間人媛　それではあなたが元凶だ！」
「ええ⁉」
「王子の不思議を見抜けるあなたがそもそもの始まりなのではありませんか
王子はあなたの御子です
あなたのその〝血〟が王子に色濃く現れたからこその結果ではありませんか
あなたが嫌うその王子の〝異常〟とはあなたの〝血〟から来ているのです」
「え　毛人どの」
「あなたが王子を避けている理由がそれであるならあまりに……
あまりに王子がお気の毒です」

（『日出処の天子・完全版』７巻）

心のなかで毛人は叫ぶ。

「違うやり方があったはずだ　あなたがもっと…もっと王子を愛してくれていたなら

今の王子はああはなりはしなかった!」

(『日出処の天子・完全版』7巻)

つまり、厩戸王子の孤独の源泉は、「母から愛されないこと」にあった。人間離れした能力や美貌を持ちながら、それを異物として遠ざける母親の存在が、自分でも気づいていないほどに厩戸王子を深く傷つけ、孤独にしていた。

さらに興味深いのは、厩戸が母の女性性——媚びる性、誘惑する性を強く嫌悪している点である。あるとき、母親が若い男性との間に子を身籠ったことに対して、厩戸はショックを受ける。

「貞淑な母親面をしておきながら中身は穢らわしいただの女ではないか
そうだ　ああいった女だ　あれは!　女など皆ああなのだ
穢らわしい!　わたしは憎悪する!　あんな女の腹から生まれてきたことを憎悪するぞ!」

(『日出処の天子・完全版』6巻)

山岸凉子『日出処の天子・完全版』6巻、KADOKAWA

この母への嫌悪が、厩戸王子の女性嫌悪を生む。自分のことは愛さないのに、男性のことは愛する母。そんな母への嫌悪から、厩戸は「女性を愛するべきではない」「女性とは嫌悪すべき存在である」という規範を与えられてしまった。

「母と娘の物語」として読む『日出処の天子』

『日出処の天子』について対談した穂村弘と川上未映子は、厩戸王子の女性嫌悪について以下のように語る。

穂村　厩戸の孤独は、母親との確執はもちろんだけど、それゆえに「人類の半分の種族」である女を憎んでいることにもある。実は僕、そこがちょっと不思議で……。お母さんにアンビバレントな気持ちがあるからって、そんなに女自体を激しく憎むものなのかな、と。

川上　母親のなかにある「女」を憎んでいるから、なのかもしれません。のちに母親が若い夫に惹かれたり、子供をつくったりしたときも、厩戸は嫌悪感を示していましたよね。異性愛者の男性におけるミソジニーは「なぜ自分より劣った存在が、こんなにも性的に男の自分を苦しめるのだ」という怒りが憎しみに変わるものだけど、厩戸は同性愛者だからなのか、娘の母に対する感覚とちょっと似ている気がする。母の「女」の部分を見たとき、自分のなかの女性性にも気づいて、汚いものとして嫌悪する。個人差はあれど、女性ならわりと理解しやすい感覚だから、「母を憎む＝女を憎む」という構図に私はあまり違和感がなかったな。同時に、厩戸は男性として描かれているから、私たちは彼の痛みや孤独を自分たちとはやや違うものとして、客観視することができて、より心に響く。

（『ダ・ヴィンチ』２０１８年12月号［9］）

川上が指摘する通り、厩戸王子にはどこか、「息子」というよりも「娘」としての側面を見出すことができる。つまり山岸は、厩戸王子という男性の身体を借りて、少女たちが普遍的に抱える女性嫌悪を叫ばせたのだ。

「わたしは女が大嫌いなのだ！」
「か弱さの仮面を被り　その下で男に媚を売る女というものがこの世で一番嫌いなのだ！」

（『日出処の天子・完全版』7巻）

『日出処の天子』もまた、少年の身体を借りた、母と娘の物語だった。

萩尾作品と同様、自分を愛してくれない母の代わりに、永遠のパートナーを探す物語なのである。

母の代替の不可能性

物語の終盤において、厩戸は毛人に「一緒になろう」と伝える。「女性などいらない、同性同士の自分たちが一緒になれば、この世で思い通りにならないことなんてない」と。この構造は、萩尾望都が描いてきた少年たちの物語とまるで同じだ。

しかし毛人は、厩戸の誘いを拒否する――「元は同じではないかと言い張るあなたさまはわたしを愛しているといいながら　その実それは……あなた自身を愛しているのです」と、毛人との恋愛を選ぼうとする厩戸を真正面から否定し、「厩戸と一緒の道を行くことはできない」と告げるのだ。

「母の代替をパートナーに見出す」型の「母殺し」の限界がここにある。

実の母を諦めた厩戸にとって、ありのままの自分を愛し肯定してくれる完璧な母の代替は、毛人だった。厩戸は毛人に愛されている限り、孤独を感じずに力を発揮できる。まさに母の胎内で愛を受け育つ子どものように。

厩戸は、毛人を他者として見ず、自分の一部のように愛そうとする。しかし、自分と他者を分離せずに愛そうとする様子には、まるで母が娘を支配するときに差し向けるような暴力性が宿っている。「あなたとだけいられればいい」という厩戸の愛情は、半ば毛人を縛る暴力なのだ。そして毛人は、「そのような愛は、成熟した大人同士の自立した関係ではない」と説く。自他の境界がつけられていない厩戸に、「あなたの母の代替になるつもりはない」「あなたは他者とかかわるべきだ」と。

ここに、萩尾望都と山岸凉子の決定的な差異——母の代替を同性のパートナーに見出し、永遠のユートピアを描いた萩尾と、母の代替をパートナーに求めることは、ナルシスティックな暴力であることを示した山岸の差異がある。

『日出処の天子』「ポーの一族」それぞれの代理母

本章の初めでも見た通り、1970年代に萩尾望都が描いた「ポーの一族」で、ひとりになったエドガーはアランの手を取り、「孤独の道をふたりで行こう」と告げていた。

「おいでよ……
きみもおいでよ
ひとりではさみしすぎる……」

（『ポーの一族』）

だが、1980年代に山岸凉子が描いた『日出処の天子』において、厩戸は毛人に拒まれ、こう呟く。

「では　わたしはこのまま孤独が続くというわけだ
耐えられぬはずがない　いままでもそうだったのだから」
「行ってくれ毛人　もう…そなたを追わぬ」

（『日出処の天子・完全版』7巻）

すべてを手に入れることのできた超能力者・厩戸王子が、唯一手に入れられなかったのが、「母」だった。そして、「母」をパートナーで代替することを許されなかった厩戸を待ち受けていたのは、「ポーの一族」でエドガーとアランが歩んだ永遠の旅路よりもさらに険しい、孤独の旅路であった。

萩尾も『残酷な神が支配する』において、イアンの口から「親も神ではなく人間だ」と告げさせていたが、結局イアンはジェルミの完璧な「母」になった。何より読者は、萩尾の描く美しい同性愛に、少なからず女性性を脱臭したユートピアを見出してしまうだろう。だが『日出処の天子』は、それを許さない。山岸の冷たい目線は、少年たちが「母」の胎内に籠ることを許さない。

そして、「女性とは嫌悪すべき存在である」という母の規範から逃れられず、毛人からも拒否された厩戸は、最終的に狂った選択をすることになる。

厩戸王子が「母殺し」を達成する方法はなかったのか？

毛人に「他者とかかわるべきだ」と拒否された厩戸は、女性性を持たない女性——「白痴」の少女を妻にする。その少女を見たとき、毛人はハッとする。その少女は、厩戸の母・間人媛にとてもよく似ていたからだ。

つまり、毛人に「母の代替」を拒否された厩戸は、次なる「母の代替」として、性のない母に似た少女を選んだのである。それは毛人に拒否された厩戸の、悲劇的な結末だった[10]。

だが、私はこの結末に対して、こうも感じるのだ。

山岸凉子の才能をもってすら、厩戸王子に「母殺し」を達成させてあげることはできなかったのか、と。

彼を救う方法はなかったのだろうか。毛人という代理母を求めるのでもなく、母に似た「白痴」の少女を娶るでもなく。「女性嫌悪」という母の規範を手放し、厩戸が他者と共生する道はなかったのだろうか。結局、厩戸王子は、暗い海の底に自分の言葉を綴った手紙を沈めたわけだが……。

パートナーを母代わりにしてはだめだ、それでは母の規範を再生産しているに過ぎない、と山岸凉子は警告する。

では、どうすれば厩戸王子は「母殺し」を達成できたのだろう？

---

［1］萩尾望都『残酷な神が支配する』1〜10巻、小学館文庫、2004〜2005年、初出『プチフラワー』小学館、1992〜2001年

［２］萩尾望都「ポーの一族」『ポーの一族』所収、１〜３巻、小学館文庫、初出『別冊少女コミック』小学館、１９７２年

［３］萩尾望都『トーマの心臓』小学館、初出『少女コミック』小学館、１９７４年

［４］ちょうど１９８０年代、萩尾望都とほぼ同い年の社会学者である上野千鶴子は、家族制度に回収されない「対幻想」としてのロマンチック・ラブを説いた（上野千鶴子『女という快楽』勁草書房、１９８６年）。同様に萩尾は、家族制度から離れた場所で、母の代わりとしての、少年の同性同士の対幻想を描いた。

［５］萩尾望都の回想録『一度きりの大泉の話』（河出書房新社、２０２１年）において、「細身」だと萩尾望都に評されている。

［６］そう述べたのは、評論家の中島梓（小説家としてのペンネームは栗本薫）であった。

肥満は決してＪＵＮＥ宇宙に存在してはならない。肥満がおタクの絶対的ではないまでも強固な特性のひとつであるとすると、肥満したおタクと、拒食症の少女たちとは、おたがいに相手を拒否しあい、おタクはアニメのロリポップに理想の恋人を見出し、拒食症の少女たちはもっとも肥満の影もない美少年にみずからをなぞらえ、たがいに悲痛な同類嫌悪におちいっているのである。

（中島梓『コミュニケーション不全症候群』筑摩書房、１９９１年）

１９９１年に発表されたこの論旨は、いま読むといささか乱暴に聞こえる。それでも、美少年同士の恋愛に熱狂した当時の少女たちにとって、「細い美少年」が、自分の実存を仮託する相手としてもっとも望ましい存在だったことはたしかなのだろう。

『ＪＵＮＥ』（ジュネ）とは、１９７８〜１９９５年にサン出版（現マガジン・マガジン）から刊行されていた雑誌である。主に若年層の女性をターゲットに、「耽美《たんび》」をコンセプトとした男性同性愛を描く小説や漫画を掲載していた（例外的ではあるが、女性間や異性間の恋愛が描かれることもあった）。竹宮惠子、中島梓、吉田秋生《あきみ》、柴門《さいもん》ふみらの作品が掲載され、竹宮や中島の添削コーナーから数々の有名漫画家・小説家が輩出されたことでも知られている。

中島は、『ＪＵＮＥ』とは「現実でなくファンタジー」であることが前提にあると、『ＪＵＮＥ』の小説投稿作品の添削コーナーで語っている。

現実の世の中ってものは、決してＪＵＮＥしてないわけ。というより現実があまりに非ＪＵＮＥしてるからこそ諸君は『ＪＵＮＥ』を待ちこがれて買うのだ。現実の男ってものには、決してそんなひと目見るなり背筋に電流の走るような

電気ウナギのような美少年なんぞそういやせんし（たまにはおるから怖いやな）それに！　ここは！　全編ゴチックにしたいくらいですが、現実にオトコがオトコに襲いかかってやみくもにエッチなことするなんて、そうざらにあるこっちゃないんだッ！

（中島梓『新版・小説道場Ｉ』ボイジャー・プレス、２０１６年、初出１９８６年）

つまり耽美的な同性愛を描くジャンルというだけでなく、現実には存在しないが作者や読者が求めるファンタジーを描くジャンルであることが、中島にとっては重要だったのである。

[7] 山岸凉子『日出処の天子』白泉社、１９８０〜１９８４年、引用はすべて『日出処の天子・完全版』（ＫＡＤＯＫＡＷＡ）によった。

[8] 上野千鶴子「ジェンダーレス・ワールドの〈愛〉の実験」『発情装置　新版』所収、岩波現代文庫、２０１５年、初出１９９８年

[9] 『ダ・ヴィンチ』２０１８年12月号、ＫＡＤＯＫＡＷＡ

[10] 「白痴」の「母」を手に入れた厩戸王子を見つめ、毛人は静かに思う。

「あなたはあの少女との黄泉にも似た道を　歩んでいかれるのですね」

（『日出処の天子・完全版』7巻）

厩戸が選んだのは、男性でもなく、普通の女性でもなく、性のない少女だった。それは厩戸が嫌悪していた女性性の否定である。しかしそれは、毛人に言わせれば「黄泉《よみ》」、死にゆく道なのだという。

この毛人の発言を踏まえると、厩戸王子は、完璧な母＝王子様との恋愛を求め続ける、少女漫画を愛する読者の戯画像なのかもしれない。『日出処の天子』は、少女自身のなかにあるミソジニー——女性性への嫌悪——を描きながら、しかしそれでも、性がなくては生きていけない、という地点を描いている。これは当時の少女漫画が描いた少年愛的世界観に対し、山岸が批判を突き付けているとも解釈できる。

山岸をはじめとする、のちに「24年組」と呼ばれる作家たちは、少女漫画に少年愛の世界を持ち込む革命を起こした。それは女性性を嫌悪するミソジニーを内包しつつ、自分を受け入れ愛してくれる存在を描くロマンスを望む少女たちにとって、革命だったのだ。そんな少年愛を描いた少女漫画について、冒頭に引用した中島梓はまさに「性をも社会

をも拒んだ清浄な『同一の存在だけの宇宙』」だと評した。これこそが、廐戸王子が望んだ理想の宇宙だったのだ。しかし、少年愛的世界観＝性のない宇宙を、毛人は「黄泉」と呼んで否定したのである。

2 虚構による代替

――1990年代の「母殺し」の実践

アダルト・チルドレンと1990年代

前節では、「母殺し」の手段として「母の代替となるパートナーを得る」という方法を見てきた。しかしその方法には限界があることを山岸は示す。なぜならそれは結局、母の規範の内部に留まっているにすぎず、母の規範を再生産することになってしまうからだ。それでは、真の「母殺し」は達成されない。

さらに母の代替を求める行為は、自他の境界がつかない共依存関係を引き起こしやすい。現実には、母の代わりとなってくれるような（=自分に規範を与えてくれるような）愛情を夫に求める女性たちが、支配的なモラル・ハラスメントやDVのような暴力関係に巻き込まれるケースが多々あることを鑑《かんが》みると、山岸の危惧していることはわかりやすい。母のような愛情を他者に求めることは、自他の境界を見出すことを困難にさせる。その先にあるのは、共依存的な支配関係だ。もちろん、娘（妻）側が支配的になるケースもあるだろう［1］。

そして「自分と相手だけいればいい」という共依存関係になってしまうと、外部からの救済は届きづらくなる。

では、他にどんな「母殺し」の方法があるのだろう？

本節では、1990年代に少女漫画で流行した「母殺し」の実践について検討したい。1990年代は、オウム真理教の事件や阪神淡路大震災を契機として、心の問題が注目されるようになった時代だった。そのなかで、親から受けた傷に苦しむ「アダルト・チルドレン」という言葉が広がる［2］。つまり、親と子の関係が注目されるようになり、子ども時代のトラウマによって、大人になってからも苦しんでいる人々の存在が可視化されたのだ。1995年から放送されたアニメ『新世紀エヴァンゲリオン』で、父との関係に苦しむ息子の問題を知った視聴者も多かっただろう。

この流れを受け、少女漫画の世界では、ひとつの旋風が巻き起こる。

それは、「理想の母を描く」ブームである。

1990年代の「自由な母」という流行

1990年代の少女漫画界では、「自由な母」という流行があった。たとえば「シングルマザーの家庭において、自由で破天荒な母が登場し、家事ができる娘はトホホと笑いながらも、母娘の仲は良い」……という少女漫画の類型。そんな流行が、にわかに浸透していたのだ。このような流行について、少女漫画研究者の藤本由香里は、くぼた尚子の『明るい家庭のつくり方』（KADOKAWA、1988年）、『新・明るい家庭のつくり方』（KADOKAWA、1991年）を例に挙げ、以下のように分析する。

「子どもっぽくて常識はずれな親と、しっかりして大人びた子ども」という組み合わせは、八〇年代後半から目立ってきたパターンである。そこでは、家事無能力の母親に代わって、娘がてきぱきとたち働いている。とくに明るい母子家庭にはこの描き方が圧倒的に多い。

（『私の居場所はどこにあるの？　少女マンガが映す心のかたち』［3］）

藤本は、この系譜を「明るい母子家庭」漫画と名付け、『ミステリー・ママ』（森本梢子《こずえこ》、集英社、1998年）、『したたかな女達』（秋本尚美、白泉社、1985年）を紹介する。また、母子家庭ではなく父は存在しているものの、その存在感は薄く、自由で明るい母が登場する漫画として『フルーツ果汁100％』（岡野史佳《ふみか》、白泉社、1987〜1990年）、『じゃりン子チエ』（はるき悦巳《えつみ》、双葉社、1978〜1997年）を挙げる。また藤本は「明るい母子家庭」漫画の源流として、一条ゆかりの描く母親像（例として『ママン♡レーヌに首ったけ』集英社、1976年）を参照した。

常識から外れていて、親らしくなく、ときには主人公である娘のほうがハラハラしてしまう、しかし愛すべき、明るくて自由な母親――1990年代の少女漫画には、このような母親が多く登場していた。

戦後中流家庭の「親」への抵抗

なぜ1990年代に、「自由な母」の登場する少女漫画が流行したのだろう？

そこにはふたつの要因がある。

ひとつめは、1986年の男女雇用機会均等法の施行である。少女漫画の読者の母親世代に、「働く女性」が増え始めていた（実際、少女漫画家は「働く女性」そのものである）。その結果、従来の専業主婦を当たり前とする家庭観に、読者も作者も違和感を覚え始めたのだろう。

実際、1990年代の少女漫画では、リベラルな家庭像を描くことが流行した。たとえば『ママレード・ボーイ』（吉住渉《わたる》、集英社、1992〜1995年）は、父母を入れ替えてW再婚するという親の離婚を許容する物語を描く。『Papa told me』（榛野《はるの》なな恵、集英社、1987年〜）や『カードキャプターさくら』（CLAMP、講談社、1996年〜）では、シングルファザー家庭が理想的な家庭像として描かれた。さらに『こどものおもちゃ』（小花《おばな》美穂、集英社、1994〜1998年）も、自由で血縁のない母親が登場し、家族の問題を描きながら「伝統的戦後中流家族モデルへの反抗」をテーマとする。

これらはどれも、伝統的な家庭観を打ち破る物語だ。その中心に「自由な母」が登場し、伝統的な専業主婦像を打ち破っていた。

「自由な母」が登場する少女漫画が流行したふたつめの理由は、「アダルト・チルドレン」という言葉が広まったことにある。「アダルト・チルドレン」という概念は、親は自分を庇《ひ》護《ご》してくれるだけでなく、自分を傷つけ得る存在であることを、広く知らしめた。

結果として、「親から受けたトラウマ」という主題に共感する読者が増え、そのような物語が増えていった。たとえば、1995〜1996年に『新世紀エヴァンゲリオン』を制作した庵野秀明《あんのひであき》監督は、1998〜1999年に少女漫画『彼氏彼女の事情』[4]をアニメ化しているのだが、『彼氏彼女の事情』にも、幼少期に両親から受けた虐待によって、心の傷を抱えている少年が登場する。これもまさに、「アダルト・チルドレン」をテーマにした作品である。

こうした時代において、少女漫画が必要としたのは、「自分を傷つけてこない親」だった。たとえば、『こどものおもちゃ』には、明るくて自由な母が登場する一方で、子どもの心に傷をつける母や父も登場する。しかし、こうした親は、作中で更生、あるいは叱咤《しった》されており、「子どもを傷つけない親とはどういう親なのか?」という問いが、繰り返し描かれているのだ。

その答えとして登場したのが、決して子どもを支配しようとしない「自由な母」だった。

ここまでの議論をまとめると以下のようになる。

①1990年代は、男女雇用機会均等法施行により、母親=専業主婦という「戦後家族モデル」が砕かれる過渡期だった。

②アダルト・チルドレン・ブームによって、親から受けた心の傷が、物語のテーマとして多く取り上げられるようになった。

このふたつの流行が重なった結果、少女漫画は「理想の母」——現実には存在しない、フィクショナルな母――を描くようになる。

そしてそれは、娘たちにとって、「母殺し」の必要がない母だった。

「母のような女になること」がゴールの物語

1990年代の「理想の母」を描いた少女漫画として、槇村《まきむら》さとるの『イマジン』[5]を見てみたい。

物語の主人公は、OLとして働きつつ、炊事洗濯を引き受ける娘の有羽《ゆう》。彼女は、建築家で家事をまったくしない美人の母親・美津子の世話に手を焼いていた。

一方で、OLとして受動的に生きていた有羽は、自由奔放な母に憧れてもいて、自分のやりたいことや生きるべき道を探す日々が続く。最終的に、美津子と有羽は別居し、それぞれ自立した人生を生きることに決める。

娘・有羽にとって、母・美津子は、「母」であると同時に「いい女」[6]になるまでの師匠であり、メンターである。

娘・有羽の「いい女」へのビルディングス・ロマンは、母・美津子という師匠のもとから卒業する＝自立することで終わりを告げる。母娘の関係に終わりはないが、師弟の関係には卒業という終わりがある。つまり『イマジン』は、母・美津子が「いい女」道を娘に指導する成長物語なのだ。

そのため『イマジン』の最終話では、娘・有羽は母・美津子の彼氏に「美津子かと思った」と見間違われる。これが母娘の愛憎物語だったらホラーのような結末に思える（母と似た姿になって、母の彼氏に見間違われるのは、かなり怖い話だ）が、『イマジン』において、有羽が美津子に似た姿に辿り着いたこの瞬間は、美しい成長の証として描かれる。

「母のような女になること」が、『イマジン』の描いた娘のゴールだったのだ。

「母殺し」の必要がない「理想の母」

娘・有羽にとっての母・美津子とは、自分を常に見守り理解してくれる「母」であると同時に、自己実現のロールモデルとなる「父」でもある。まさに男女雇用機会均等法の時代における「社会的成功」と「心のケア」、どちらの欲望も叶《かな》える「理想の母」なのだ。

そんな「理想の母」の規範は、もはや手放す必要がない。そのため主人公の有羽は、母の規範に沿って、母のような女になるために、さまざまな試練を乗り越える。

そもそも、殺さなければならないような「母」が悪い。必要なのは、「母殺し」なんかしたくならない母である。成功しているけれどケアもしてくれる、そんな「理想の母」がいれば、私たちは「母殺し」をせずに済む。母の規範を手放さずに、成熟していける。『イマジン』という少女漫画からは、娘たちのそんな声が聴こえてくる。

「理想の母」は母への幻想を強化する

では、虚構のなかで「理想の母」を描くことに、問題点はあるのだろうか？
私が懸念するのは、「理想の母」の物語が、母への幻想を強化してしまうところである。
臨床心理士の信田さよ子は、母親との関係に苦しむ娘たちに対して、「母への幻想を捨てなくてはいけない」というアドバイスをする。

つまり母親はそれほどやわではなく、娘を理解して反省などしない、つまり娘のことをわかってくれるという幻想を捨てなければならないという感覚である。そのことを最初から女性たちに伝えても理解されることはない。なぜならどれほど拒絶していようと、彼女たちの母親への幻想は残り続けているからである。

（『母・娘・祖母が共存するために』）

たしかに、娘が母の規範を手放すことができない理由のひとつに、「母はいつも正しく、自分のことを理解してくれる」という幻想が存在する。

このような「母への幻想」は、日本の家庭が専業主婦文化から共働き文化に移行したいまもなお残っている[7]。

夫が労働、妻が家事と育児を担う「戦後家族モデル」が主流となる戦後日本において、育児は母が担うものとされていた。だが1990年代以降、少子化対策と男女共同参画社会の双方を打ち出した日本は、母親に「家事育児と賃労働の双方を完璧な形で両立する」ことを期待する。というよりも、1990年代に始まる長い景気低迷において、育児と労働の両方を母親が担わなければ、多くの家庭が家族の型を保てなくなってしまった。

働きながらの育児は、言うまでもなく大変だ。しかしその大変さは「母は苦労する生き物だ」という言説によって美化される。母性を神聖化することで、女性が育児と労働を両立する負担を無効化しようとしたのである。

こうして1990年代以降、母が働くようになった後も、母への幻想は残り続けた。日本の高度経済成長期が定着させた「戦後家族モデル」の残滓《ざんし》であるところの母への幻想は、「戦後家族モデル」が崩壊した現代においても、強力に機能し続けている。作家の堀越英美《ひでみ》は、「母親の献身」がいまなお国民の感動をもっとも誘うメジャーコンテンツのひとつであると指摘する。

現代日本で感動を呼ぶ鉄板コンテンツ、それが「母」だ。アスリートが活躍すればその母親がいかに陰で尽くしたかがクローズアップされ、「家事育児を一人でがんばるママへの応援歌」「都会で暮らす我が子を思う田舎の母」は、感動CMの鉄板である。フィクション、ノンフィクション問わず、「田舎」に住み「趣味を持たず身なりにもかまわず子に尽くすことだけが生きがい」の母の自己犠牲は、日本人の琴線をくすぐる。

（『不道徳お母さん講座　私たちはなぜ母性と自己犠牲に感動するのか』［8］）

たしかに藤井聡太や大谷翔平が活躍すれば「母の育て方」がメディアに躍る。ワンオペで頑張ろうとする若きシングルマザーが努力する様子がテレビドラマになる。いまなお、「母」は愛情の代名詞として使われている。人々はいまも、「母性信仰」とでも呼ぶべき幻想を共有し、「母親は自己犠牲的で献身的であることが望ましい」と唱える。

このような世間の「母」に対する共同幻想――母性信仰――は、娘たちに「母とは自己犠牲を払ってでも、自分を愛してくれる存在だ」という幻想を与える。

そして、その幻想が裏切られたとき、娘は傷つき絶望する。

母だって完璧ではない。だからこそ、大人になれば母の規範は手放していいはずだ。しかし、日本の母性信仰は、「母は正しい」「母は自分を愛している」と娘たちを洗脳する。そして、「母は正しい」「母は自分を愛している」と思えば思うほど、娘は母の規範を手放しづらくなる。

このようにして母性信仰は、娘たちの「母殺し」をいっそう困難にしているのだ。

現実に「理想の母」は存在しない

こうした視点から考えたとき、今回挙げた「理想の母」の物語は、むしろ母への幻想を強化してしまうだろう。

「母への幻想を諦めること」が、母の規範を手放すための第一歩であるはずなのに。「母の規範に則《のっと》ればすべてがうまくいく」という「理想の母」の物語は、現実の「母殺し」をいっそう困難にしてしまう[9]。

だとすれば、やはり現実の娘にとって重要なのは、母を師匠にすることではなく、母から離れようとすることだ。母への幻想は強化すべきではない。

自由で、破天荒で、非常識で、しかし言動は鋭く、愛すべき母――「母殺し」なんて必要ない「理想の母」は、たしかに少女漫画の夢だ。しかし現実には、そんな「理想の母」はいない。現実を生きる娘たちに必要なのは、母の規範に気づき、それを手放すことである。虚構のなかで「理想の母」を描くことは、「母殺し」の手段にはなり得ない。

『なんて素敵にジャパネスク』と母の承認

1990年代の少女漫画では虚構のなかで「理想の母」を描くことが流行したが、一方、少女小説では、虚構のなかで「母がいない世界」を描くこともあった。その筆頭が、氷室冴子の『なんて素敵にジャパネスク』シリーズ〔10〕である。

絶大な人気を誇る少女小説家であった氷室は、エッセイ集『冴子の母娘草《ハハコグサ》』〔11〕において、母との関係について繰り返し悩みを吐露していた。母は氷室の仕事を理解せず、「結婚しろ」とばかり述べていたのだという。

『冴子の母娘草』いわく、結婚しないと認めてくれない母に、とうとう氷室は絶縁状を送りつける。しかし結局、母が詫《わ》び状を書き、絶縁はしないまま終わる。このような母の理解のなさに疲れ果てた頃、氷室が書いたのが『なんて素敵にジャパネスク』だった。

平安時代を舞台とする少女小説シリーズである同書は、主人公の瑠璃《るり》姫が「私は結婚しない」と宣言し、父親から心配されるところから物語が始まる。

そして十六歳になった今日日《きょうび》、ばあややとうさまが入れ替わり立ち替わりやって来て、「女子《おなご》の幸せは、よき殿方《とのがた》を通わしてこそです。せっかく降るようにくる文を、どうして見ようともしないんですか」

なんぞと説教する（中略）。

そのたびに、あたしは、

「結婚する気はありませんからね。生涯《しょうがい》、独身ですごすわよっ」

と応戦するのだけれど、ばあやや女房（侍女《じじょ》）たちは、生涯結婚しないだなんて、からだのどこかに人に言えない欠陥《けっかん》があるのじゃないかという冷たい目で見るし、とうさまは、年ごろの娘に婿《むこ》がいないなど恥ずかしくて世間に顔向けできないと泣き真似《まね》するし、やりきれない。

最近では毎日、とうさまと大喧嘩《げんか》している。

（『なんて素敵にジャパネスク』）

16歳の貴族の姫・瑠璃姫は結婚したくない。

その原因は、小さい頃に母が亡くなった後、1年も経たないうちに父が再婚してしまったことにあった。

「男なんて、ほんっとに薄情なんだわ!」と思った瑠璃姫は、独身主義者になった。

この設定について氷室自身はあとがきで以下のように語る。

この物語のそもそもは、私自身が母親に結婚しろ、結婚しろと言われて困っていた頃、締め切りが迫っても何もアイディアが出ないときに、せっぱつまって、「結婚しろといわれて困っている女の子のスカッとする話を書いてみよう」みたいな火事場の馬鹿力的発想が発端でした。

(『なんて素敵にジャパネスク』)

『なんて素敵にジャパネスク』を読んでいると気にかかるのは、なぜ瑠璃姫の母は物語から退場したのか? という点だ。

氷室は瑠璃姫の「結婚嫌い」という設定を引き出すために、「父のプレイボーイぶりにより、結婚願望が消えた」というエピソードを思いついたのかもしれない。しかし、だとしたら、たとえば父がいつも外で遊んでいて母を顧みないがために、母が父との結婚を嘆いているという設定でもよかったはずだ。氷室の体験を投影するならば、瑠璃姫の結婚を急《せ》かす存在として、父より母が前景に出てきてもよかった。だが作中の瑠璃姫に、母はいない。『なんて素敵にジャパネスク』において、なぜ瑠璃姫の母は退場したのだろう？

なぜ瑠璃姫の母は死んだのか？

先に、回答を提示しよう。氷室冴子は『なんて素敵にジャパネスク』において、瑠璃姫の結婚を、恋愛のゴールではなく、「仕事」として捉えたかったからだ。瑠璃姫は、結婚のためにスパイ（！）をする（なぜスパイをすることになったのかについては、ぜひ作品を読んでいただきたい）。また、東宮《とうぐう》に結婚を望まれ、幼馴染《おさななじ》みの恋人との結婚が一度飛んでしまったりもする。


「断るに決まってるじゃないの。あたしは高彬《たかあきら》と結婚するんだもん」

「断りなどしたら、瑠璃、わが大納言家は次代の帝に疎《うと》まれる家として、失脚《しっきゃく》するしかないのだぞ」

「何の失敗もしてないのに、なんで失脚するのよ」

「高度に政治的な問題なのだ、これは」
(『なんて素敵にジャパネスク』)

政治に巻き込まれる瑠璃姫の結婚問題。このパターンは、シリーズ中、何度も繰り返される。ちなみに、瑠璃姫の初恋の相手もまた、政治の問題で再登場する。ここが『なんて素敵にジャパネスク』の面白いところでもあるのだが、瑠璃姫の恋愛は、政治、すなわち当時の「仕事」の影響を多大に受けることになるのだ。

氷室は、瑠璃姫の結婚を単なる恋愛物語として描こうとしているわけではなく、あえて宮廷の政治に巻き込まれる展開を描いているように見える。恋愛に、政治＝仕事の要素が入り込んでいるのだ。

だとすれば、瑠璃姫の母が退場した理由も納得がいく。つまり、瑠璃姫と「結婚」の問題を共有するのは「父」、すなわち「働いている親」でなくてはいけなかった。

瑠璃姫は最終的に結婚することになる。そのハッピーエンドは、母ではなく、父のすすめによるものでなくてはいけなかった。氷室は瑠璃姫の結婚を、現代で言うところの仕事の目標達成のようなものとして描きたかったからだ。だから、瑠璃姫に結婚をすすめたのは父親だった[12]。

「結婚＝仕事における成功」というハッピーエンドを描くために、母は早々に退場させられた。母がいては、結婚が恋愛のゴールになってしまうからだ。

『冴子の母娘草』と『なんて素敵にジャパネスク』を合わせて読み解くと、なぜ瑠璃姫の母は不在で、父の存在感が大きいのか、その理屈が見えてくる。

母のいない世界で、娘は自由に生きられる

瑠璃姫は、自由に動く。平安時代という設定に不似合いなほど、瑠璃姫は抑圧を跳ね除《の》けて、自由に生きるキャラクターである。

しかしそれは、瑠璃姫の母が不在だったからこそ、可能になった表現ではないだろうか。瑠璃姫が結婚するかどうかは本質的にはどうでもよく、ただ、「許しを請わければいけない存在」を退場させるために、瑠璃姫の母はいなくなったのではないか。

つまり氷室にとって『なんて素敵にジャパネスク』は、母という抑圧のない世界で、自由に動くことのできる娘の物語だったのかもしれない。

現実では、氷室は母と交流を持ち続けたことをエッセイに綴っている。『冴子の母娘草』では、母の理解のなさを嘆きつつも、年老いた母と旅行に行ったり、彼女の愚痴を聞いたり

している。氷室もまた、母のケアをする娘だったのだ。

　このエッセイを読むと「そんなにストレスになるなら、母と縁を切ればいいじゃないか」と言いたくなるところだが、絶縁ギリギリまでいってもなお、氷室は母と縁を切らない。その背景には、いまなお強く残る「母への幻想」が存在していたのではないだろうか。現実において娘は、「母もわかってくれるのではないか」という幻想を諦めきれなかった。だからこそ虚構では、「最初から母のいない世界」を描いた。

　それは氷室なりの「母殺し」の方法――そもそも「母殺し」をおこなわなくて済むように、母を退場させること――だったのだろう。

[1] 家族の共依存関係とその解決策については、信田さよ子『共依存・からめとる愛　苦しいけれど、離れられない』（朝日新聞出版、2009年）に詳しい。

[2] アダルト・チルドレンとは、虐待や育児放棄（ネグレクト）、アルコール依存症やギャンブル依存症の親のもとで育ち、社会に出てから生きづらさを感じている人のこと。
歴史を紐解くと、欧米の「母娘問題」批評は、ウーマン・リブの流れのなかで、フロイトの説明に対するアンチテーゼとして始まったと言われる（「特集　母と娘の物語――母／娘という呪い」『ユリイカ』青土社、2008年12月号）。しかし、日本発信の言説に着目すると、1990年代にフェミニズム批評家たちに注目されたことが大きい。たとえば、1990年代には、水田宗子《のりこ》『フェミニズムの彼方　女性表現の深層』（講談社、1991年）、水田宗子・北田幸恵《さちえ》・長谷川啓《けい》編著『母と娘のフェミニズム　近代家族を超えて』（田畑書店、1996年）、高石浩一《こういち》『母を支える娘たち　ナルシシズムとマゾヒズムの対象支配』（日本評論社、1997年）が刊行された。

なかでも竹村和子は「あなたを忘れない——性の制度の脱-再生産」『愛について　アイデンティティと欲望の政治学』（岩波書店、２００２年）（初出：「あなたを忘れない——性の制度の『脱-再生産』」『思想』９０４-９０５号、岩波書店、１９９９年）において、フェミニストとして母娘問題を語ってみせた。竹村はフェミニズムの「母娘言説」が、シスターフッド的な水平的連帯を強調するものでしかなかったことを批判的に指摘しつつ、精神分析の観点から母娘の「官能的な親和性」を説いた。

また１９９０年代、竹村をはじめとしたフェミニストたちが母娘問題をテーマにした海外の翻訳書を輸入することで、母娘の問題は徐々に注目されていった。ナンシー・フライデー『母と娘の関係　「母」の中のわたし、「わたし」の中の母』（俵萠子・河野貴代美訳、講談社、１９８０年）、マリアンヌ・ハーシュ『母と娘の物語』（寺沢みづほ訳、紀伊國屋書店、１９９２年）、イヴリン・S・バソフ『母は娘がわからない　子離れのレッスン』『娘が母を拒むとき　癒しのレッスン』（ともに、村本邦子・山口知子訳、創元社、１９９６年）などの著作が翻訳され、出版された。

アカデミズム以外の場においては、作家・栗本薫の評論家名義である中島梓の功績が大きい。たとえば、中島と精神分析家の木田恵子が対談した『名探偵は精神分析がお好き』（早川書房、１９９１年）においては、母娘関係の問題がフィクションに与える影響の強さについて明晰《めいせき》な論点を与えている。また、中島の『コミュニケーション不全症候群』（筑摩書房、１９９１年）は、「おタク」「ダイエット／摂食障害」「ボーイズラブ」など当時流行した若者批評を、親との関係から描き出した。「アダルト・チルドレン」という言葉が日本で流行したのは１９９６年以降のことだったが、それ以前に親との関係の問題について指摘していたのが中島の批評であった。だが中島は、「親」という単位で語ることはあれど、「母と娘」というジェンダーの問題を含んだ関係性については検討しなかった。

のちに、臨床心理士の信田さよ子は、アダルト・チルドレン・ブームについて、「娘と息子、父と母という区別はまだそこにはなく、ACの人たちが苦しんでいたのが実は母親との関係であったことは、その後徐々にわかってきたのである」（『母・娘・祖母が共存するために』朝日新聞出版、２０１７年）と回想する。中島の言説の限界は、まさにここにあった。

［3］藤本由香里『私の居場所はどこにあるの？　少女マンガが映す心のかたち』学陽書房、１９９８年

［4］津田雅美『彼氏彼女の事情』全21巻、白泉社、１９９６〜２００５年

［5］槇村さとる『イマジン』全11巻、集英社、１９９４〜１９９９年

[6] 作者の槇村さとるはエッセイで、この作品について「いい女を描きたいんだ、読んでてスカッとするかっこいい女、強くてかわいくて、でっかい女！　『イマジン』の連載がはじまった」（槇村さとる『イマジン・ノート』集英社、1998年）と述べる。つまり槇村は自分の理想とする「いい女」を母親に設定したのだ。

[7] 大日向《おおひなた》雅美は『母性の研究　その形成と変容の過程：伝統的母性観への反証』（川島書店、1988年）、『母性愛神話の罠』（日本評論社、2000年）で、「母性」とは本能的なものだという神話がいかにまかり通ってきたかを明らかにした。また水上文《みずかみあや》「『娘』の時代　『成熟と喪失』その後」『文藝』2022年春季号（河出書房新社、2022年）は、母性信仰から母を取り戻す小説として、宇佐見りんの「かか」を読んだ。

[8] 堀越英美『不道徳お母さん講座　私たちはなぜ母性と自己犠牲に感動するのか』河出書房新社、2018年

[9] 信田さよ子は、母の規範に縛られる娘たちに対し、臨床心理士として「母から与えられた規範を自覚し、言語化することが重要だ」と指摘する。

自分の感覚や考え方、時には口調やしぐさにまで食い込み、染み込んでいる母の気配や影響・残滓《ざんし》を自覚し、どうやって自分とそれを分別していくかを試みるのである。

（『母・娘・祖母が共存するために』）

「母殺し」は、「理想の母」という幻想を捨て、身体的なレベルにまで浸透している母の規範に気づくことから始まる。

[10] 氷室冴子の『なんて素敵にジャパネスク』シリーズ（集英社、1984～1991年）は1980年代から刊行されているが、山内直実《なおみ》作画で漫画化された『なんて素敵にジャパネスク』（白泉社、1989～1993年）もシリーズの人気に火をつけたため、1980年代後半～1990年代に流行した作品として本書は扱う。なお引用の文章は、新装版として発売された氷室冴子『なんて素敵にジャパネスク』（集英社コバルト文庫、全10巻、1999年）による。

[11] 氷室冴子『冴子の母娘草』集英社、1993年。『冴子の母娘草』が集英社のPR誌『青春と読書』に連載されたのは、男女雇用機会均等法が施行された後の1991～1993年だった。当時急速に増えていた働く娘たちにとって、母は、誰よりも自分の労働を理解してくれない存在だっただろう。

[12] 『冴子の母娘草』において、父は娘にとって労働を共有できる仲間として描かれる。

「だって、家で電話したら、お父さんが怒るんだよ、サエコ。こういうときでもなきゃ、落ちついて電話もできないんだか

ら」

「そりゃ、怒るよ。あんな(くだらない)電話、エンエンやってりゃ、あのおとなしいお父さんだって……」

「フン。おまえはそうやって、すぐお父さんに味方するんだ。一緒に住んでないから、ジイさんのヤなとこ、なーんにも知らないのさ」

この場合のジイさんというのは、父のことである。

「どこがヤなとこなのよ」

「いつもいっつも、茶の間にどっかり座りこんで、テレビばっかり見てさ」

「いいじゃん、そんなの。何十年も働いてきて、めでたく退職してさ。毎日、テレビ見て暮らして、どこが悪いのよ」

(『冴子の母娘草』)

このように氷室は働く娘として、「仕事」という共通言語を持っている父の肩を持とうとするさまが見える。母には「そうやってヒスるから、ダメなんだよ」と述べる場面もあり、全面的に父の肩を持っている。

あるいは、父への不満を述べる母に対して、離婚をすすめるエピソードも綴られる。それもまた、父を糾弾するというよりは、ふたりの間に決定的な不和があるなら仕方ない、というニュアンスで語られるのである。

加えて、そのエピソードが収められた章のタイトルは「退職した父よ、もはや娘はあなたの味方ではない」。タイトル通りに受け取ると、味方ではなくなったきっかけは「退職」であり、やはり父と娘の絆《きずな》を「労働」が媒介していたことがわかる。

3

母を嫌悪する

――2000年代以降の「母殺し」の実践

『乳と卵』が描いた、母への嫌悪

これまで、少女漫画の「母殺し」の実践として、パートナーに「完璧な母」の代替を見出そうとする動きや、そもそも「母殺し」の必要がない「理想の母」を描こうとする動きを検討してきた。

1970〜1990年代は、現代ほど親子の関係性の困難にスポットライトが当たっていなかった。そのなかで少女漫画は、母娘の関係に困難があることを発見し、「誰かに『理想の母』を担ってもらえないか?」と試行錯誤してきたのだ。

しかし、「完璧な母」をどこかに求めようとしても、どうやら限界がある。娘たちがそのことに気づき始めたのが、2000年代だった。

2000年代後半、「母と娘の葛藤」をテーマにした小説が増える。なかでも団塊ジュニア世代の作家・川上未映子は、芥川賞を受賞した『乳と卵』（文藝春秋、2008年）で、娘から母への嫌悪を描くことに成功する。

東京に住む「わたし」の家に、姉・巻子が、娘・緑子を連れて大阪からやってきた。大阪でホステスとして働くシングルマザーの巻子が、突然娘を連れて上京した理由。それは豊胸手術のカウンセリングを受けたいからだった。姉・巻子の胸は、出産を機にしぼんでしまっているのだ。

一方、姪《めい》の緑子は、思春期に入って母の巻子と口をきかなくなり、いまはコミュニケーションをすべて筆談でとっている。緑子は、ノートに自分の初潮や妊娠する将来への不安、世間の出産礼賛に対する苛立《いらだ》ちを日々書き連ねる。

2泊3日の滞在中、姉と姪の母娘関係と「豊胸」の問題が、「わたし」の視点で語られる。シングルマザーの巻子にとって娘の緑子は、ほとんど唯一の心の拠《よ》り所となっている。しかし緑子はそんな母を「気持ちわるい」と拒否する。たとえば、巻子が緑子にキスをしようとする場面、緑子はノートに「気持ちわるい」と書く。緑子は、母の愛情を拒否しようとするのだ。

あたしな、かわいいなあ、思ってさ、ときどきちゅうしたりするねんよ、寝てる緑子に、と箸の先をひらひらさせながらわたしに向かって云った。すると巻子がそれを云った瞬間に、緑子の顔の色と硬さがぎゅんと変化してそれからものすごい目で真正面から巻子を睨《にら》んだ。わたしはそれを見て、あ、と思いつつ言葉が出ず、その目は緑子の顔の中でますます強く大きくなるよう、それを見た巻子は、一瞬顔をこわばらせて、なにやの、と小さく静かに云って、なにやのその目、と巻子は静かに続け、あんたいったい、なんやの。

緑子は目を逸らして、それからメニューが掛かってある壁のあたりを見つめ、しばらくしてから、小ノートに〈気持ちわるい〉と書き、それをテーブルのうえに開いて見せて、ペンでその〈気持ちわるい〉の下に何度も何度も線を引いた。

（『乳と卵』）

緑子は、豊胸手術をしようとする母の女性性を嫌悪したり、あるいは母の愛情そのものを拒否したりしようとする。少女が自分の母の女性性に嫌悪感を抱いたり、親に対する反抗期を迎えたりする場面は、これまでも描かれてきたものである。だが、『乳と卵』という作品の面白さは、緑子が巻子の「愛情」に対して、嫌悪感を剝き出しにするところである。

自分をないがしろにする母を否定するのではない。むしろ、自分を愛そうとする母を拒否する。それは、これまで描かれたことのない娘の物語だった。

緑子は、母が自分を愛そうとする様子に「気持ちわるい」と応答する。たとえ娘を愛していたとしても、その愛し方によっては、母の愛情は娘の負担になる。そのことを表現したのが『乳と卵』という物語だった。

まだ「毒親」という言葉も流行していなかったこの頃、愛しているからといってその母が健全な母であるわけではない、ということを小説で表現したのは、ひとつの達成だっただろう。

川上未映子が『乳と卵』を描いた時代

正直、「毒親」という言葉が流行する2020年代現在にこのような物語を読んでも、目新しさを感じないかもしれない。しかし、『乳と卵』が出版された2000年代後半当時、「母への拒否」を表現することはタブー視すらされていた。

当時の空気について、臨床心理士の信田さよ子はこう語っている［1］。

当時の私は前述のような、母を定義する主体としての娘といった考察や、その後に毒母などという言葉が誕生するとは想像もしていなかった。当時は「母が重い」と表現するだけで、精一杯だったのだ。タブーの蓋をなんとかこじ開けようとする一言が「母が重い」だったのである。

（『母・娘・祖母が共存するために』）

芥川賞はしばしば時代を反映するが、まさに『乳と卵』が芥川賞を受賞した2008年は、「母と娘の関係には困難がつきものである」ことが、日本社会で発見された年だった。というのも同年、母娘問題について解説する書籍が、立て続けに刊行されたのだ。『母が重くてたまらない　墓守娘の嘆き』（信田さよ子、春秋社）、『母は娘の人生を支配する　なぜ「母殺し」は難しいのか』（斎藤環《たまき》、NHK出版）は、気鋭の臨床心理士と精神科医が母娘問題を扱った書籍であり、大きな反響を呼んだ。さらに同年『ユリイカ』（青土社）でも「母と娘」特集が組まれた。

娘たちは2008年になってはじめて、「母が重い」と発言することをためらうのをやめ始めた。

現代に生きる私たちや、あるいは母娘関係がよくわからない男性たちは、「なぜ親を『重い』と言うことすらできないのか？」と首を傾《かし》げるかもしれない。しかし実際、2000年代後半、信田や斎藤が「母と娘の間には何かある」と気づき、母娘問題に手をつけるまで、娘が親を「重い」と思っている事実は、ほぼ無視されていたと言ってよい。それは第一章で見たように、「娘は親をケアするべきだ」という常識が根強かったからだろう。

「母」に対する葛藤はそれまで、少女漫画や少女小説といった少女のための媒体でのみ、密かに脈々と語られていた。それが2008年になってようやく、一般小説やノンフィクションのような「公」の場でも語られるようになったのだ。

「母が重い」ということですら、おそるおそる言っていた時代に、川上未映子は「母が気持ちわるい」と書いた。それはまぎれもなく、文学上の達成だった。

『乳と卵』の達成と限界

しかし『乳と卵』は、最終的に緑子を「母への愛着を強く持つ娘」として描き、物語を閉じる。

たとえば声を出せるようになった緑子は、「あたしはお母さんが大事」「お母さんがかわいそう」と泣き始める。

あたしは、お母さんが、心配やけど、わからへん、し、ゆわれへん、し、あたしはお母さんが大事、でもお母さんみたいになりたくない、そうじゃない、早くお金とか、と息を飲んで、あたしかって、あげたい、そやかってあたしはこわい、色んなことがわからへん、目がいたい、目がくるしい、目がずっとくるしいくるしい、(後略)

(『乳と卵』)

緑子は、シングルマザーとして自分を育てる母を心配し、「早くお金とかあげたい」「心配」「お母さんが大事」と語る。つまり、『乳と卵』という物語は、最終的に緑子を「母を愛しているからこそ、母を拒否することもある少女」というキャラクターに着地させている。

緑子は、母を拒否する娘である一方で、どうしようもなく母を心配する娘でもあるのだ。

緑子は、自分を育てる母の苦労に罪悪感を覚え、母をケアしようとする娘である。それは本書が見てきた母に縛られる娘の姿そのものだ。

母の愛情を「気持ちわるい」と拒否しながら、一方では、「お母さんが大事」と母への愛着を示す。この相反する母への感情こそが、2000年代後半の娘たちが抱えていた母娘関係の葛藤そのものだったのだろう。

2000年代後半になって、ようやく日本の小説は、「母が気持ちわるい」と語ることができるようになった。しかしそれは、「母が大事で心配で早くケアしてあげたい」と語る姿とセットでなければならなかった。

それが『乳と卵』の達成であり、限界だった。

「母殺し」の物語としての『爪と目』

2013年度の芥川賞を受賞した藤野可織の『爪と目』（新潮社、2013年）もまた、団塊ジュニア世代の作家が表現した「母への嫌悪」の小説だった。『爪と目』は、まさに藤野が「母殺し」を描いた物語である。

同書の語り手〈わたし〉は、3歳にも満たない幼い少女である。

彼女の実母は、早くに亡くなっており、ある日、父と不倫関係にある女性が、義母として家にやってくることになった。

新しく来た義母（作中では〈あなた〉と呼ばれている）は派遣社員で、愛嬌《あいきょう》があり、結婚して子育てをすることを望んで生きていた。しかし実際に結婚してみると、日々の家事や育児はかったるく、浮気を重ねるようになる。〈わたし〉をベランダに閉じ込め、浮気相手と会うこともあった。ベランダに閉じ込められた〈わたし〉は、必死に抵抗し酸欠を起こすが、義る。


母は気にせずこう言った。

「見ないようにすればいいの、やってごらん、ちょっと目をつぶればいいの」

そんな義母が眠っているとき、〈わたし〉は彼女の目にマニキュアの破片を入れようとする。

〈わたし〉は義母にこう問いかける。

「これでよく見えるようになった？」

義母〈あなた〉はすさまじい痛みに、涙と鼻水を流し続ける。

想像しただけで目が痛くなってくるようなグロテスクな結末だ。

〈わたし〉はまるでコンタクトレンズを入れるかのように、眠っている義母の目に、マニキュアの破片を入れようとする。これは、「見ないようにすればいい」と言いながら自分を傷つけた、義母に対する復讐《ふくしゅう》だ。「これでよく見えるようになった？」と問いかける〈わたし〉は、見たくないものを見ようとしない義母を許さない。

『爪と目』において、義母はいつも傷つかないキャラクターとして描かれる。親から「あんたはいつも他人事みたいに。そうやって、いつも自分だけ傷つかないのよね」と言われる場面があったり、あるいは学生時代に事故に遭ったときも、自分だけ怪我しなかったりする場面がある。そんな義母に、はじめて傷をつけようとしたのが、娘の〈わたし〉である。

まるでオイディプスが父を殺そうとしたように、〈わたし〉はマニキュアの破片を目に入れることで「母殺し」を試みる。これは、「見たくないものは見ないようにすればいい」という規範を与えようとしていた母に対して、「ものをよく見たほうがいい」と娘が新しい規範を与えようとする行為だ。

『爪と目』の物語は、最終的にこのような文章で閉じられる。

> わたしは目がいいから、もっとずっと遠くにあるときからその輝きが見えていた。わたしとあなたがちがうのは、そこだけだ。あとはだいたい、おなじ。
>
> (『爪と目』)

「目のよさ」が、母と娘を隔てる。だからこそ〈わたし〉はマニキュアの破片という名のコンタクトレンズを、〈あなた〉に入れてあげようとする。

『爪と目』が表現したのは、「母を許さない」娘による「母殺し」の物語だった。それは母の代替を探すのではなく、理想の母をつくるのでもなく、娘たちの「母殺し」の欲望を、はじめて表現した現代文学だった。

『爪と目』が浮き彫りにする「母殺し」の困難さ

『乳と卵』の時代にはまだタブー視されていたであろう「母を拒否する娘」を、藤野は『爪と目』で描くことができた。なぜ藤野は『爪と目』で、これまで描かれることのなかった「母殺し」を描くことができたのだろう?

注目すべきは、〈わたし〉がマニキュアの破片を入れた「母」が、あくまで義母であるところだ。つまり、実母と娘の関係では描けなかった「母殺し」が、義母と娘の関係ならば描くことができた、ということだろう。

さらに『爪と目』には、娘と実母の葛藤も描かれている。それは〈わたし〉の義母(=〈あなた〉)と実母の間にあるものだ。不倫相手の連れ子を育児することになった娘を、〈あなた〉の実母は心配する。そして〈あなた〉にあれこれ意見を述べたがる。だが〈あなた〉は、実母の心配をあまり深刻に捉えない。

「それよりもさあ、三歳なのに、何も言われなくても食後には自分できちんと歯を磨くんだって、子ども。ほんとしつけが行き届いてるよねえ。いいお母さんだったんだねえ」

あなたの母親は、一瞬あなたを憎んだ。そしてこれまでに、何度も娘に激しい憎しみを抱いた瞬間があったことを思い出した。あなたがティッシュの箱を差し出し、あなたの母親は鼻をかんだ。せめて、負け惜しみを言いたかった。

「あんたはいつも他人事みたいに。そうやって、いつも自分だけ傷つかないのよね」

そのことばには、「だからきっとこれからもだいじょうぶ」という励ましと、「でもこれからはそうはいかない」という警告の両方が含まれていた。そしてあなたの母親は、その両方を望んでいた。娘がなにごともなく幸せに暮らしていくことを望み、同時に、つまずき、疲れ、失敗することを望んでいた。

（『爪と目』）

〈あなた〉が「亡くなった母親はしつけが行き届いている、いいお母さんだったんだ」と褒める描写に対して、〈あなた〉の実母は瞬間的に憎しみを覚える。読者からすると、唐突にも思える描写であるが、これは母としての苦労なくして母として存在しようとする娘に、母が嫉妬をした瞬間である。

前節で見てきたように、「母」という役割には、母性信仰とでもいうべき「自己を犠牲にするものだ」という幻想がつきまとう。だが、〈あなた〉は母性信仰の望ましい在り方から逸脱しようとする。そんな〈あなた〉を実母は憎む。つまり実母は、母性信仰＝母の規範から逸脱する娘を憎んでいるのだ。

そして〈わたし〉が義母である〈あなた〉の目にマニキュアを入れた原因も、彼女が母の役割をまっとうしなかったところにある。幼い義娘をベランダに閉じ込め、不倫相手と会う、つまり母の役割をまっとうしなかったことで、〈あなた〉は実母から憎まれ、義娘から復讐に遭う。

だとすれば、『爪と目』の「母殺し」とは、娘をあくまで固定化された性別役割の範囲内に押し込めようとする行為である。

『爪と目』で描かれた「母殺し」の構造は、以下の二点が支えている。

①あくまで「義母」と「義娘」の間でおこなわれている

②「母殺し」をする理由は、「母の役割を放棄したことへの復讐」だった

「母として苦労していない」ことを批判するための「義母殺し」であれば、「母殺し」が可能になる――このような「母を殺してもいい」二重の正当な理由があってはじめて、藤野は「母殺し」を描くことができた。まるで、自分を殺そうとする義母ならば殺してもいいのだと説いた、おとぎ話の『白雪姫』と同じように。

だとすれば『爪と目』は、むしろ普通の娘が普通に「母殺し」をすることの困難さを、逆

説的に描いているとも言える。ここまで正当性のある理由を用意しなければ、「母殺し」を描くことができないのか。娘の母に対する「単なる嫌悪」や「単なる拒否」を描くことが、なんと難しいのか。そんな驚きが、『爪と目』を読んだときに抱いた率直な印象だった。

団塊ジュニア世代と「毒母」の流行

『乳と卵』も『爪と目』も、2000年代後半~2010年代前半が、文学において「母と娘の困難」というテーマが発見された時代であったことを示している。当時、娘たちは突然、母の問題について語り始めた。その背景には、世代の問題が存在する。

当時30代となった団塊ジュニア世代以降は、男女ともに大学進学率が急上昇した。しかし彼らは、就職する段階になって、就職氷河期に苦しんだ。そのため団塊ジュニア周辺世代の娘たちは、不安定な雇用ゆえに実家にずっといたり、結婚せずに母と仲良くし続けたり、産後に仕事を辞めざるを得ず、実家に帰ったりするようになった。結果として、「かつては教育熱心で、いまは夫とコミュニケーションをとらずに娘と仲良くし続けようとする母」と、「実家に住居や育児のサポートを頼っているがために、母と密着し続けてしまう娘」という構図が増幅した。

幼少期：教育熱心な母・母の期待に応えようとする娘
成人後：（夫よりも）娘とのコミュニケーションに熱心な母・経済的に実家に頼らざるを得ない娘
中年期：（夫よりも）娘にケアしてほしい母・母をケアしてしまう娘

2008年、1970年代生まれの団塊ジュニア世代およびポスト団塊ジュニア世代は、30代になっていた。斎藤環と信田さよ子は「30代の編集者に依頼されて母娘関係の本を書いた」と語っている〔2〕。

斎藤：「母の重さ」について、僕自身は本を書いたときも今もさっぱりわかりません。ただ、当時30代の女性編集者が「母娘関係について書いてほしい」と熱心に依頼してきて。
信田：私の本もまったく同じ。30代後半の女性編集者から「母親との関係で苦しむ女性たちをテーマに執筆してほしい」と。彼女自身も母の存在に苦しみ、その思いが依頼につながったのです。「団塊母」が「教育熱心」という形で娘を支配し、その期待に応え高学歴を経てメディアで仕事をするようになった娘たちが、一斉に声を上げ始めた。それが「母が重い」というムーブメントに火をつけたと見ています。

（「信田さよ子×斎藤環　根深い『母娘問題』に共存の道はあるのか？」）

団塊ジュニア世代以前の娘たちは、母の規範に苦しんでいたとしても、結婚することで自らが母になり、母の規範から外れることなく生きられた娘が多数派だった。少数の、母の規範通りに生きられなかった娘たちは、女性が社会進出できない時代に、声を上げる方法がほぼなかった。だからこそ、少女漫画や少女小説といった媒体でのみ、母娘の葛藤は表現されていた。

しかし、団塊ジュニア世代の娘たちに関しては、時代が母の規範通りに生きることを許さなかった。結婚や就職といった自己実現を、不景気が阻んだからだ。この時代、結婚も就職も一部の人のものになった。家を出ることができず、母子密着から脱出することができなかったか、一度は家を出たとしても、育児でまた母とかかわらざるを得ない娘が大半だった。

母娘密着は続いたままなのに、母の規範通りに生きることはできない——そのような状況が、娘たちに「母が重い」という言葉を語らせた。一方で、女性の社会進出が進んだからこそ、娘たちは母について語る言葉を発信することができるようになった。

そうして、はじめて娘たちは母への嫌悪を語った。

『爪と目』が芥川賞を受賞した２０１３年、「毒母」「毒親」という言葉が流行した［3］。それは「母は自分にとって毒になる存在である」ということを、娘たちが語り始めた時代だった。当時、『ポイズン・ママ　母・小川真由美との40年戦争』（小川雅代）、『母がしんどい』（田房永子）、『冥土めぐり』（鹿島田真希）、『東京プリズン』（赤坂真理）、『母の遺産　新聞小説』（水村美苗）など、娘が母に対抗する小説やエッセイが立て続けに刊行された［4］。「娘にとって母の規範は強烈なものである」という事実が、怒濤の勢いで主張され始めたのだ。こうして２０１０年代前半、人々の間に「母娘関係はどうやら難しいらしい」という空気が広がり、「母娘」の主題は発見された。

だがこの時点では、具体的な「母殺し」――娘が母の規範を手放すこと――の実践までは、至っていない。「毒母」の解毒方法は、まだ語られないままだった。

［1］信田さよ子『母・娘・祖母が共存するために』朝日新聞出版、２０１７年
［2］「信田さよ子×斎藤環　根深い『母娘問題』に共存の道はあるのか?」『AERA dot.』２０１８／２／５掲載（https://dot.asahi.com/aera/2018020200049.html?page=1）
［3］「『毒親』という言葉が２０１１年頃を境に広がっている」と高倉久《く》有《ゆう》・小西真理子「毒親概念の倫理　自らをアダルトチルドレンと『認める』ことの困難性に着目して」（『臨床哲学ニューズレター』第４号、２０２２年）は指摘する。
［4］２０１２年に斎藤美奈子と高橋源一郎は、注目すべき文芸作品の変化について、「すべて母について書いている」と指摘する。

斎藤　母なんですよ、3冊とも。『東京プリズン』『母の遺産』、芥川賞の『冥土めぐり』。どれも虐待する母とその母に抗う娘というか、母親によって抑圧された娘の話で、もっとザックリ言うと母殺しなんですよね。これまで近代文学はずっと父殺しをやってきたわけだけれども、今年はここにきて急に母殺しという。

高橋　そう、しかも、全部書いてるの女性だしね。女の子の母殺しですよね。

斎藤　そうなの、母と娘なんですよ。父と息子という構図がずうっと続いてきたわけですけど、なぜか今年は母と娘の葛藤の話が重なった。

高橋　だから父と息子の話なんかないんだよねえ。

斎藤　そうですね。もう父と息子はね――。

高橋　終わったの？（笑）。

斎藤　終わったでしょ（笑）。

高橋　ほんとにそう思いました。だって男性の書いてる小説もあるけど、父と息子の話なんか出てこない。っていうか父いないし（笑）。

斎藤　かつては近代の父が立ちはだかってたわけじゃないですか。特に文学をやろうなんていう人はさ、父は絶対に反対するもんね（笑）。けど、母と娘の対立は近代文学の誕生から１５０年たってやっとテーマになったって感じがする。

（高橋源一郎・斎藤美奈子『この30年の小説、ぜんぶ　読んでしゃべって社会が見えた』河出新書、２０２１年）

第三章

「母殺し」の再生産

1 自ら「母」になる

——もうひとつの「母殺し」の実践

『銀の夜』と母娘の「生きなおし」

第二章では、母娘を主題にした作品が、どのような方法で「母殺し」を実践しようとしてきたのか、年代ごとの社会背景とともにその変遷を見てきた。しかしここでわかるのは、どの作品もいまだ具体的な「母殺し」の実践手法を発見できていない、ということだ。「娘が母を殺すには？」という問いに答える作品は、いまのところ見つかっていない。

しかし、実はまだ点検していない「母殺し」の実践法がある。

それは、娘もまた自ら「母」になることである。

たとえば吉本ばななの小説『吹上奇譚』シリーズに登場する美鈴は、自分の母が間違っていたことを示すために、「正しい母」になろうとする。つまり、母の規範を手放す（母が間違っていたことを証明する）ために、自分が「母」になることを選択するのだ。

そこで本章では、この「母の規範の再生産」という問題について考えてみたい。『吹上奇譚』シリーズについてはのちに触れるとして、まずは「母の抑圧の再生産」という主題について描いた角田光代の『銀の夜』（光文社、２０２０年）を読んでみよう。

自分も母の規範に苦しんだはずなのに、自分が「母」になったとき、娘へ規範を再生産してしまう。角田光代の小説『銀の夜』には、まさにそんな「母の規範の再生産」が描き出されている。

主人公は、女子高生の頃にガールズバンドを組んでいた3人の女性たち。結婚したが、夫に浮気されているちづる、ライターや写真家として活動しているが、いまだ身分が安定しない伊都子、幼い娘を芸能界に入れようとしている麻友美だ。

女子高生のときに結成したガールズバンドはすぐに解散したが、３人は35歳になっても交流を続けていた。

伊都子の母は有名な翻訳家なのだが、いつも娘の不安定な仕事ぶりを嘲笑する。そのことを伊都子は長年コンプレックスに感じている。30歳を過ぎてもなお彼女は、才能ある母に対して、コンプレックスを持つことをやめられない。

一方、高校時代のガールズバンドにもっとも熱心だった麻友美は、自分が芸能界デビューできなかったことを悔いており、その夢を娘・ルナに託す。しかし、読者モデルをしていた麻友美に娘は似ておらず、「どうしてルナは私に似なかったんだろう」と苛立っている。自己主張のない娘の性格にも、麻友美はどんどん苛立つようになる。

麻友美の振る舞いは、友人の伊都子から「生きなおし」であると批判される。

「ねえ、どうして麻友美はルナちゃんをへんなスクールに入れたと思う？　自分ができなかったことを、子どもにかわりにさせたいだけだよね。本人には言いづらいけど、つまり麻友美は、ルナちゃんって個人じゃなくて、ちいさな分身を育てようとしているわけじゃない。大げさに言えばルナちゃんの体を借りて生きなおすっていうか」

（『銀の夜』）

正直、このような光景は目新しいものではないだろう。母は同性の娘に、自分の実現できなかった夢やコンプレックスを投影することがある。その結果、母は娘を通して、人生の「生きなおし」を試みる。これは母娘問題でしばしば指摘される構造だ［1］。

たとえば自分の学歴コンプレックスから、娘に過剰な教育を施そうとしたり、あるいは麻友美のように、職業コンプレックスから娘の進路を決めたがったりする母親たちを、あなたも見たことがあるのではないだろうか。自分の人生経験から、母が娘に規範を強いることは、非常に普遍的な行為である。

前章で「教育熱心な団塊世代の母と、実家に頼りがちな団塊ジュニア世代の娘」という構図を紹介したが、『銀の夜』の伊都子は、まさにこの構図にとらわれた娘そのものである。有名な翻訳家である伊都子の母は、娘にも自分と同じように生きるべきだという規範を与えてきた。そして伊都子は母のような職業人になれないことがコンプレックスだった。だが、「母に規範を与えられたことに、30代半ばを過ぎるまで自分は気づかなかった」と伊都子は語る。

「ねえ、知ってた？　私の母親って、今の麻友美とそっくりおんなじ、ううん、麻友美をもっとヒステリックにした感じなの。私はずっとそれに気がつかなくて、なんでも自分で選んでやってる気になってたの。でもちがうのよ。全部あの人がそう仕向けていたの。私、そのことに今ごろになってようやく気づいたの。三十も半ばになって、ようやくよ」

（『銀の夜』）

母の規範にそもそも気がつかない。だから伊都子は「母殺し」――母の規範を手放すタイミングを持たない。母が自分にどういう規範を与えたのか、その言語化ができなければ、そもそも規範を手放しようがないのだ。

母娘小説としての『銀の夜』の面白さはここにある。母から娘へ、規範は世代を超えて再生産される。だから母と娘の葛藤は、世代を超えて続いてしまう。しかし問題は、規範を与えることそのものではない。規範に気づかず、規範を手放すタイミングを持たないことが、母娘問題の本質なのだ。伊都子の場合は、もし友人の子育てを見ていなければ、規範の存在に永遠に気づかずにいたのかもしれない。

2005～2007年に雑誌『VERY』で連載されていた『銀の夜』は、雑誌のメインターゲットだったであろう当時の20～30代、すなわち団塊ジュニア世代の娘たちに向けて角田光代が用意した、「母の規範の存在に気づかせる」ための物語だったのかもしれない。

自己実現の規範の再生産

だが、『銀の夜』は伊都子の「母殺し」の物語では終わらない。伊都子の友人である麻友美が、伊都子の母と同じように、娘に自らの抑圧を投影する母になってしまっているのだ。

『銀の夜』が連載された2000年代の雑誌『VERY』は、「女の現役感を失わないキラキラした専業主婦像へのあこがれ」を表現したと、心理学者の小倉千加子は述べる[2]。白金に住む専業主婦「シロガネーゼ」や芦屋に住む専業主婦「アシャレーヌ」というキャラクターを誌面に登場させたのもこの雑誌である。

1980年代以降に進んだ女性の社会進出は、あくまで正社員のためのものであった。1990年代以降に非正規雇用が増えると、男女平等政策の恩恵を受けられない女性たちが生まれた。しかし、正社員の女性たちもまた、育児と仕事の両立という無理難題に圧《お》し潰され、結果として「専業主婦になり、キラキラした母になること」がひとつの憧れとなる。

まさに「VERY妻」的なキャラクターである麻友美は、主婦になる。そしてその結果、自分が叶えられなかった社会での自己実現の夢を、娘に仮託するのである。

団塊世代の伊都子の母も、団塊ジュニア世代の麻友美も、自己実現に関する規範を、同じように娘に託す。伊都子の母は自分がうまくいったからこそ、麻友美は自分がうまくいかなかったからこそ、娘に自己実現の規範を与える。

一般に、「母が娘に人生を仮託する」というと、母の自己実現が成功しなかったからだと言われることが多い。母ができなかったことを娘にさせているのだ、と。しかし角田光代は、母が自己実現に成功していようとしていなかろうと、母は娘に自己実現の規範を与えてしまうものなのだと語る。むしろ、自分の人生が成功したからこそ、娘にも同じ人生を歩ませたい、と思う母もいることを、『銀の夜』は描いている。

母の規範は世代を超えて再生産される。そして伊都子のように、母の規範に気づかないまま大人になる娘は多い。

だからこそ、「母殺し」は必要なのだ。「娘は『母殺し』をするものだ」と周知されていれば、規範が再生産されたとしても、娘はその規範を手放して生きることができる。抑圧の再生産を止める方法は、それしかない。

「母殺し」の実践としての出産

冒頭で挙げた吉本ばななの『吹上奇譚』シリーズ（幻冬舎、2017～2022年）は、母娘の抑圧の再生産の構造を、さらにわかりやすく描いている。

舞台は、海と山に囲まれた孤島のような異世界「吹上町」。

主人公の少女・ミミは、双子の妹・こだちとともに、不思議な能力を持って育つ。

しかし彼女たちの母親は、眠ったままずっと起きてこない。

そしてある日、妹のこだちが失踪《しっそう》する。

ミミはこだちを探すため、旅に出る。

そして、シリーズ最終巻となる『吹上奇譚　第四話　ミモザ』（幻冬舎、2022年）では、ミミの友人である霊媒師の美鈴が物語の中心に据えられる。

美鈴は、実母と義理の父に性的虐待を受けていた過去を持つ。そしてそのようなトラウマから、美鈴は恋人と性交渉ができない。だが、「子どもはほしい」と願っていた。

そして、とうとう美鈴は性交渉なしに子どもを身籠ることになる。

自らが産んだ赤ん坊を見ながら、美鈴はこのように呟く。


ずっと触ってたい、ずっと。こんなにずっと触ってたいかわいいものをいじめるなんて、あの人たちは単に頭がおかしかったんだ。そして、わしはおかしくない。それがわかっただけで充分だ。何かが終わった。わしの中の暗くて重かった何かが少し軽くなった。

（『吹上奇譚　第四話　ミモザ』）

美鈴にとって、「実母は間違っていた」ことを示す手段は、「自分が実母とは違う母になる」ことしかなかった。「私は母のような母にはならない」という言葉は、「自分が実際に完璧な母になる」という夢をもってはじめて完遂する。

美鈴は、自ら「母」になることで、実母を否定する。つまり「母殺し」の実践手段として、「母になる」という選択をとったのだ。

おそらく現実では、美鈴とは反対に、「母から続く連鎖を途切れさせるために、自分は母にならない」という選択をする人も多く存在するだろう。しかし一方で、美鈴のように「自分は違う形で母になれることを証明したい」という動機から、子どもを産む人もいるのではないだろうか。

美鈴は赤ん坊を触りながら、「何かが終わった。わしの中の暗くて重かった何かが少し軽くなった」と言うが、それは美鈴が「母殺し」を達成したという意味だろう。だからこそ美鈴は、「わしはおかしくない」と述べる。自分は間違っていなかった、母の規範が間違っていた。そう確認し、美鈴は出産・育児を通して、「母殺し」をおこなおうとする。

『吹上奇譚』と終わらない「母殺し」

『吹上奇譚』のこの結末を、「美鈴は子どもを産んで、虐待をしてきた母と決別し、しあわせに暮らしました」という結末として受け止められたらいいのだが、私はこの物語に、どうしても違和感を持ってしまう点がある。
それは、本書が過剰なまでに「母親の愛」を肯定することだ。
たとえば母親になった美鈴を前にして、ミミは「この世でいちばん強いものは母親の愛だ」（！）と感慨に耽《ふけ》る。

美鈴はお腹を撫でながら微笑んだ。
その表情はまるで夢を見ている人みたいにぼんやりした美しさをたたえていて、この世でいちばん強いものは母親の愛だという言葉を実感した。

（『吹上奇譚　第四話　ミモザ』）

あるいは、美鈴は生まれたばかりの子どもを眺めながら、実母への否定を何度も口にする。

わしは今、もう頭が働かなくて、何も考えられないから、なんでもいい。毎日が楽しくて楽しくてどうにかなりそう。って言うか、こんなにかわいい生きものを前にしてこういうふうに心が動かなかった自分の母親のことがどう考えても信じられない。

どれだけあの人たちがバカだったのか、よくわかった。

（『吹上奇譚　第四話　ミモザ』）

美鈴は出産したことで、「母殺し」をした。それなのに、これらの台詞の背後には、「なぜ、実母は自分を愛さなかったのだろう？」という悲しい叫びが滲《にじ》んでいる。

たしかに美鈴は、出産を経て、「自分の母は間違っていたんだ」と理解した。しかしそれでも、母に対して「なぜ自分を愛さなかったのか」と思うことをやめられない。むしろ出産によって母性を強烈に肯定すればするほど、その母性を自分に向けなかった実母に対する葛藤が増している。

ミミが「この世でいちばん強いものは母親の愛だ」という台詞をさらりと語っているように、『吹上奇譚』シリーズ全編を通して、吉本ばななは、母性の存在を肯定する。出産しないミミも、出産した美鈴も、「母が子を愛するのは当たり前だ」と語る。しかしそのような母性の過剰な肯定は、むしろ「私も母に愛されたかった」という叫びの悲痛さを増す。

つまり、美鈴は「母殺し」を達成したように見えて、逆に母への憎悪や執着を増している。自分が母になることで、「母殺し」――母の規範を手放すことから、逆に遠ざかってしまっているのだ。

たとえば「自分は母から愛されない子だったから、他者から愛される価値がない」という規範を手放すには、「母に愛されていても愛されなくても、他者から愛される価値がある」と思えるようになる必要があるように、「母殺し」をおこなうためには、言ってしまえば「母がどうでもよくなること」が必要になる。だが、母性への愛着、そして母への執着は、逆に母の規範を強化してしまう。逆効果なのである。

吉本ばななは、『吹上奇譚』シリーズで、「母とは違う『母』になる」という夢を描いた。しかしその夢を体現しようとする娘は、結果的に母性に期待し、母性を求める少女のままでいてしまう。

そして重要なのは、「母は間違っていた、私は子を愛せる」と叫んだ彼女たちもまた、娘にとっては「間違った母」になり得る、という罠《わな》が潜んでいる点である。『銀の夜』でも見た通り、母が自身のコンプレックスを投影した規範を娘に与えてしまうことはしばしばある。本書では繰り返し説いているように、問題は母が娘へ規範を与えることではなく、母の規範を娘が手放せないことにある。

だとすれば、母が過剰に「自分は間違っていない」と説くことは、娘が母の規範を手放すタイミングを失うことにつながり得る。だが、そんな抑圧の再生産の可能性を、美鈴は考えない。

吉本ばななと「母になろうとする娘」

実は吉本ばななは、これまでも「母との葛藤を埋めるために、『母』になろうとする娘」の物語を描いてきた。

たとえば吉本ばななのデビュー作『キッチン』（新潮文庫、2002年、初出は『海燕《かいえん》』福武書店、1987年）は、実母と祖母、そしてえり子というトランスジェンダーの「母」が亡くなる物語である。

両親も祖母も亡くし、天涯孤独の身になった主人公・みかげのもとに、同じ大学の田辺雄一が突然やってくる。「しばらくうちに来ませんか」と誘われたみかげは、雄一の家に住むことになる。その家にいたのは、雄一の「母」と紹介された元男性の美しい女性・えり子だった。そうしてみかげ、雄一、えり子の3人の暮らしが始まった。

第2部の「満月――キッチン2」では、職を得たみかげが田辺家を出る。

だが、ある日突然、えり子は殺されて死んでしまう。

えり子という「母」を喪《うしな》った雄一は、みかげの支えによって、少しずつ回復していく。

つまり第1部で祖母や母を失ったみかげは、第2部で代理の母・えり子も失うことになる。

しかし興味深いのは、えり子が亡くなった後、「雄一の『母』になろうとするみかげ」が描かれているところだ。

『キッチン』とごはんを用意する「母」

みかげは祖母を亡くしてから、狂ったように料理をつくり、その末に料理研究家の弟子になる。みかげにとって、ごはんをつくることは、失った母の代理となることだった。そして、えり子を亡くした雄一に、みかげはかつ丼というごはんを用意して持っていく。かつ丼を食べながら、雄一は精神を回復させる。みかげは、亡くなった母・えり子の代わりを——ごはんを用意することで——果たそうとする。

第一章では、「イグアナの娘」や「肥満体恐怖症」のように、「母が死ぬ物語」は、しばしば母娘の葛藤を描いていることを指摘した。だが『キッチン』は、「母が死ぬ物語」でありながら、その死を「自分が母になる」ことで乗り越えようとする物語だ。ここに吉本ばななの作家性がある。『キッチン』刊行から35年以上経った現在においても、吉本は『吹上奇譚』シリーズで、同じ物語を描こうとしている。

かつ丼を食べながら、みかげと雄一は、お互いが「家族である」ことを確認する。

いくつもの昼と夜、私たちは共に食事をした。

いつか雄一が言った。

「どうして君とものを食うと、こんなにおいしいのかな。」

私は笑って、

「食欲と性欲が同時に満たされるからじゃない？」

と言った。

「違う、違う、違う。」

大笑いしながら雄一が言った。

「きっと、家族だからだよ。」


（「満月——キッチン2」『キッチン』）


一緒にものを食べていて、「おいしい」と感じられることが、家族の証である[3]。『キッチン』で、吉本ばななはそう告げる。

つまり、みかげは雄一の恋人ではなく「母」になることで、えり子の死を埋め、ふたりは家族になったのである。

ごはんをつくらない「母」

吉本ばななは自身のエッセイにおいて、「自分の母はごはんを作らない人だった」と綴る[4]。

私には（そういう意味では）お母さんはいなかった。
私の具合が悪いときに、何が食べたい？　と聞いてくれる人はいなかった。
（『お別れの色　どくだみちゃんとふしばな3』[5]）

一方で、吉本の父は「ごはんをつくる人」として登場することが多い[6]。そして吉本は、そんな母への反発と父への思慕をあまりに率直な言葉で語っている。

母も私を愛したかったが、どうにも都合が悪いしかわいくないし、体調も悪くなっていたし、相性も悪かった。母はそれに正直だっただけで、お互いによくがんばったと思う。

相性ってそういうものだし、運命ってそういうものだ。
私は私の楽しいことを探し、気にしないようにして父とはツーカーで仲良くし（父は普通の父以上に優しかったので私は生きていられた）、外へ外へと出ていった。
（『お別れの色　どくだみちゃんとふしばな3』）

この観点で眺めると、吉本の小説はしばしば自身のエッセイを反復している。たとえば、吉本のエッセイには「両親の死に関係する食べ物をなぜか食べる気にならない」ことが綴られている。母が「長くない」ことを直感した際に行った「牛タンの店」に二度と行けないのだ、と吉本は書いている。一方、小説『どんぐり姉妹』［7］には、両親に突っ込んできたトラックが「お刺身を届ける」車だったため、それ以来お刺身を食べられなくなった主人公が描かれている。

エッセイと小説の奇妙な反復。それは作家の意図を超えて、「食」と「両親」がぴたりと貼りついて離れない様子を見せている［8］。

このことをふまえて『キッチン』という小説を思い出すと、やはりあの小説で繰り返し描かれていた料理の場面は、料理をつくらない母の代わりに、自ら料理をつくる少女の孤独だったのではないかと思えてしまう。母がいない孤独を埋める代わりに、自ら「母」になろうとする娘。これはやはり、『キッチン』から『吹上奇譚』まで通底する主題なのである。『吹上奇譚』の主人公・ミミは、眠っている母の傍らで、アイスクリーム屋の手伝いをする。ごはんをつくらない母と、アイスというお菓子をつくる娘――これもまた、『キッチン』から続く、「母を埋めるために『母』になろうとする娘」の物語なのだ。

吉本ばななという作家が、35年も同じ話――「母」になることで「母殺し」を試みる「娘」の物語――を書き続けていることに、私は本当に驚いてしまうのだが。

「大川端奇譚」の無自覚な娘

最後に、吉本が母娘を主題にした短編小説「大川端奇譚」(『とかげ』所収、新潮社、1993年)を紹介しよう。

主人公の明美は、結婚することになる。

結婚を両親に報告したとき、父に「ある秘密」を打ち明けられる。

それは明美が産まれたばかりの頃のことだった。橋の上にいる母を見て、「嫌な予感」がした父が近づくと――母は赤ん坊である明美を、川に投げたのだという。

自分が川に投げ捨てられたエピソードを聞いた明美は、「恋人という存在は、親から受けた傷をいやすためにあるのだ」と悟る。

みんなが一度くらい親から決定的に拒まれたことをどこかでおぼえている。例えばおなかの中で、まだ目もみえないとき。話もできない時。だからもう一度、誰かが自分の親になってくれることを、本当に死にそうな時に物理的に共同責任をおってくれることを、理屈ではなく、ただとにかくむしょうに求めてひとはひとと暮らそうとするのだろう。

（「大川端奇譚」）

注目したいのは、明美にとって「親から決定的に拒まれた」と述べるこの「親」が、「母」を指していることだ。

小説のなかで彼女を拒んだのは、父ではなく母である。だが明美は、母から受けた傷を自覚しようとしない。彼女は自分が何かしらの精神的な傷を負っていることは認識しており、その結果として性的に奔放になりすぎていた。だが明美は、母からの拒絶によって自分が傷ついていることについて、最後まできわめて無自覚でいようとするのだ。

明美は、「自分には何か欠けているものがあるが、それを何か美しいことで誤魔化そうとしてきた」と言う。そしてその「欠けているもの」の原因が、実は母親からの拒絶にあったことを、物語の最後ではじめて自覚する。

本当は「母の拒絶」にうすうす気づいているのに、表面的には無自覚であろうとすること。それこそが「大川端奇譚」で描かれたものである。

母からの規範に気がつかない娘

「大川端奇譚」において、明美が母からの拒絶に対し、無自覚であろうとする姿勢。それは、本章の冒頭で紹介した『銀の夜』の伊都子が、30代も半ばを過ぎるまで、母から進路について規範を与えられていたことに気づかなかった、と語る様子とどこか重なる。

母からの規範に気がつかない、あるいは気づいていて見て見ぬふりをする娘。それはおそらく、日本のありふれた娘の姿だ。

実際、吉本作品で描かれる母娘の関係は、直接的に対立することはほとんどない。表面的には仲良くいようとしている。母からの拒絶による傷と、異性による癒しという「娘」の物語をはっきりと描いた「大川端奇譚」ですら、娘の明美は母を責めることをまったくしない。

しかし、その責めがたさこそが、小説で描かれる娘の傷をより深くしているようにも見える。

つまり、「母から受けた傷に無自覚でいなくてはいけない」という姿勢こそが、「大川端奇譚」の明美の傷を濃くしているように思われるのだ。そして、「母への欲望に無自覚であれ」という抑圧は、吉本ばななのエッセイにすら垣間見《かいまみ》える主題である。

自分は母に捨てられた子である――その自意識こそが、吉本ばななに食事の場面を反復させる。母に捨てられた傷を癒すため、吉本作品の少女たちは、食事をつくり、食べる［9］。母につけられた傷を、自ら「母」になることで埋めようとする。

しかし「母」になっても、「母殺し」――母の規範を手放すこと――は決して達成されない。むしろ母への幻想はより強大になり、母の規範をいっそう手放せなくなってしまうこともある。

「母」になることでは、「母殺し」は達成されない。『銀の夜』と『吹上奇譚』は、この「母殺し」の試みの限界を示している。

［1］　たとえば、精神科医の斎藤環は『母は娘の人生を支配する　なぜ「母殺し」は難しいのか』（ＮＨＫブックス、２００８年）で、自身の臨床体験とフィクションの読解をふまえ、「母は娘の身体に自身のコンプレックスを踏まえた躾をおこなうが、身体を共有し植え付けられた母の支配を娘が断ち切ることは困難だ」と解説する。母が娘にコンプレックスを投影し、娘に強い規範を与えることがある、という点はしばしば指摘される。

［2］小倉千加子『結婚の条件』朝日新聞社、2003年

［3］吉本ばななは、過剰なまでに食事の場面を反復する。たとえば、デビュー作『キッチン』の最初の一文は「私がこの世でいちばん好きな場所は台所だと思う」だった。あるいは『ハゴロモ』（新潮社、2003年）のほたるはインスタントラーメンを、『TUGUMI』（中央公論社、1989年）のまりあは父のくれたせんべいを、『哀しい予感』（角川書店、1988年）の弥生はカレーを食べていた。あるいは彼女の最新シリーズである「吹上奇譚」シリーズにおいても、主人公ミミはアイス屋であり、さらにミミの母のつくる親子丼が効果的に挿入される。このような食事の場面が、母の幻影と結びついているとすると、吉本の書く小説の主題が見えてくるように思う。

［4］吉本は小説『High and dry（はつ恋）』（文藝春秋、2004年）で「上の空モードになる」主人公の母を描いており、この描写として必ずはじめに「ごはんをつくらない」点を挙げた。『High and dry（はつ恋）』の該当描写は以下の通り。

たとえばうちのお母さんは、本に熱中したり、何かですごく落ち込んだりすると、ごはんを作るのも電気をつけるのもそうじをするのもみんな忘れてしまう。

（中略）

もう私はかなり大人になってきたので、自分で何か作って食べたり、勝手に風呂をわかして入ったり、自分の選んだ時間に寝たり起きたりできるから全然かまわなかったのだが、幼い頃にそれが起こると、かなりきついことだった。

（中略）

多分、村上さんのお母さんはうちのお母さんと違って、人であるまえにまず、プロのお母さんだろう。だから、晩御飯を作り忘れたり、十四時間も寝っぱなしだったり、子供の送り迎えをすっかり忘れてしまっていたりすることは絶対にない。

（引用はすべて『High and dry（はつ恋）』）

主人公・夕子が語る理想の母親像は、2017年のnoteで吉本自身が語った「私の具合が悪いときに、何が食べたい？　と聞いてくれる人」という理想の母親像とほぼ一致する。

いつでも同じ時間にごはんを作ってくれる人がいたら、どんなにいいだろう。「時差ぼけのお父さんが起きてきたときにみんなでいっせいに夜中の二時にファミリーレストランに行く」そういう種類の楽しさは大好きだけれど、でも、いつ

でも振り向いたら私を見ていてくれる、いつでも家に、私のためにいてくれて世話をすることがいちばん大事だというお母さんがいたらどんなにいいだろう。

（『High and dry（はつ恋）』）

『High and dry（はつ恋）』は、思春期の女の子の初恋を主題とした小説である。そのような青春小説において、ふいに登場する「ごはんをつくらない母」には、違和感とも言うべき印象深さがある。といっても、私は『High and dry（はつ恋）』が作家の私小説であるなどと言いたいわけではない。むしろ、作者自身の葛藤の対象である「ごはんをつくらない母」の反復——無自覚に綴ってしまうものを隠そうとしないある種の無防備さこそ、吉本ばななという作家の魅力なのだ。

［5］吉本ばなな『お別れの色　どくだみちゃんとふしばな3』幻冬舎、2018年

［6］エッセイの中で、暑い日、吉本はふいに両親ともに元気だった頃の夏休みを思い出す。ノスタルジックな夏の思い出の象徴として、彼女は「父のつくったごはん」を挙げる。

晩ご飯は父が作る牛肉のしょうゆ炒め。もう一度食べたいけれど二度とは食べることができないあの味。

（吉本ばなな『すべての始まり　どくだみちゃんとふしばな1』幻冬舎、2017年）

ちなみに、吉本ばななの父・吉本隆明の最後の自筆連載は、雑誌『dancyu』（プレジデント社）の「食エッセイ」だった（『開店休業』プレジデント社、2013年）。

さらに、吉本のエッセイにおいて、元気なときに会った最後の父の姿が、姉の素揚げしたむかごを食べるエピソードのなかで描かれる。吉本ばなののなかでも、父である吉本隆明と食事の結びつきが強いことがよくわかるだろう。

同じく、亡き両親が健在だった頃を思い出す場面が、小説『どんぐり姉妹』で描かれる。

かなり寒い時期までよく外でごはんを食べた。おにぎりも卵焼きも外で食べるとおいしいね、と父はよく言っていた。寒くても暑くても、外だとなぜかぴったりのおいしさになる、と。（中略）お腹いっぱいで、少し冷えた体で家に帰っていく道は、この世のどんな道よりも平凡で退屈に思えた。

ごはんのことを思い出す際、母よりも先に登場する「父」。そして「退屈」だった両親のいた日常。

（『どんぐり姉妹』）

まるで小説をエッセイが反復しているかのように、食の場面で描かれる要素は、小説とエッセイで酷似しているのだ。

[7] よしもとばなな『どんぐり姉妹』新潮社、2010年

[8] ちなみに『High and dry（はつ恋）』の夕子は、母が「アイス」ばかり食べることを、大人でないことの象徴として語る。一方で吉本は、『すばらしい日々』（幻冬舎、2013年）で、母が死ぬ間際になって「みたらし団子」をおいしそうに食べていた思い出を語る。さらに、「アイス」と「みたらし団子」という形のよく似た甘い嗜好《しこう》品ですら、エッセイによる小説の反復に見えてしまう。「アイス」は、『吹上奇譚』シリーズのミミがつくり続けていたものだ。吉本ばなな作品における食事の場面は「家族」と結びつきながら、小説やエッセイのなかで反復され続けるのだ。

[9] 吉本は『キッチン』の文庫版あとがきで以下のように語っている。

この小説はいろいろな人にいろいろな読まれ方をされて、すばらしい評論もたくさんしていただいた。どれもがとても光栄だった。

そして今でも忘れられないのは友達の井沢君が言った「吉本のあの小説で、この世の女の子のマイナー性が一気に花開いて、表に出て来ちゃったんだよな」という言葉だ。

（吉本ばなな「そののちのこと」『キッチン』新潮文庫あとがき、新潮文庫、2002年）

「この世の女の子のマイナー性」――それはまさに1980年代以降の日本の「少女文学」の興隆を指す言葉であろう。日本の少女的感性を拓いた、と自負するこの作家の描く小説は、少女の繊細な感性を描いていると評されることが多い。そのデビュー作が自ら「母」になろうとする物語であることは、決して偶然ではないだろう。『キッチン』のみかげも、雄一も、母を亡くした子どもであった。しかし、お互い食事をすることによって、母の代わりを得る。食事のシーンは、まさに、失われた家族を取り戻す行為であった。つまり元祖「少女文学」作家とも言える吉本の作品が、「母の喪失と回復」を主題のひとつに持っていたことには、明らかな相関がある。『キッチン』というタイトルは、「母」への愛着を示すみかげの願望そのものであり、それは吉本ばななという作家が描いた「女の子のマイナー性」そのものなのではないだろうか。

2 夫の問題

「母殺し」の実践と困難

ここまで、日本の小説や少女漫画が描いてきた「母殺し」の実践として、

①理想の代理母を、恋人／フィクションに見つける（第二章1、2）

②母を嫌悪する（第二章3）

③嫌悪した母と違う母になる（第三章1）

という3つの手法を見てきた。

どれも「母殺し」に近くはあるのだが、母の規範を手放すところまで完遂したものはなかった。理由はそれぞれ下記の通りである。

①理想の代理母を、恋人／フィクションに見つける　↑あくまで母の規範の内部で「母の代理」を探してしまう

②母を嫌悪する　↑母の規範を手放す具体的な手法については検討していない

③嫌悪した母と違う母になる　↑母への幻想を強化し、規範を再生産する母になってしまうおそれがある

これらを理解したうえで、第4の手法として、もうひとつの「母殺し」の実践をおこなおうとする漫画を紹介したい。『凪《なぎ》のお暇《いとま》』（コナリミサト、秋田書店、2016年〜）である。

『凪のお暇』と母の規範の再生産

『凪のお暇』は、2024年現在も連載が続く少女漫画である。

OLの主人公・凪は、田舎に住む母から与えられた規範に縛られながら生きていた。凪はいつも、母の望む言葉、望む進路を、なぞろうとしてしまう。そうしないと母が許してくれないからだ。

凪はまさに本書で取り上げてきたような、母の規範を手放すことができない――「母が私を許さない」と語る娘だった。

「だってお母さん　大丈夫な私のことしか許してくれないじゃない」

「何それ　あなたがこんな汚い部屋で一人でみじめなのは　お母さんのせいってこと？

進路も住まいも仕送りも　あなたが勝手に選んで決めてやってたことでしょう

お母さんは自由にやっていいよって言ってるじゃない　いつも」

（あーもう矛盾　さっきあんなに人の頭のこと罵っといて　いつもそうだこの人は　自分の望む方に人を誘導しといて　しらばっくれて）

（『凪のお暇』7巻）

凪は、近所の人やバイト先の人や、元彼の言葉によって、少しずつ母から離れられるようになる。しかしその過程で、凪は母のいる北海道に連れ戻されてしまう。それはまるで、母から離れようとしても、やはり人生のどこかで母娘密着の関係に戻されてしまう日本の娘の姿そのものである。

そして凪は、地元・北海道で、自分の生きづらさが母の生きづらさと酷似していることに気づく。凪が自分の母をケアしてきたように、母もまた祖母をケアして生きているのだ。

凪は母から「自分をケアしてくれ」という規範を与えられ続け、その結果、他人を過度にケアしてしまうキャラクターである。凪は無意識に他人をケアしてしまう自分を変えようとするが、北海道に行って気づく。母もまた、祖母から「自分をケアしてくれ」という規範を与えられて生きてきたのだと。

凪は、田舎であるこの地域で、ケアの主体が女性に固定されていることに気づく。祖母から母へ、母から娘へ、「お前も私のケアをしろ」という規範が途切れず与えられ、それが自分たちを抑圧しているのだと凪は語る。

「でも　お母さんとおばあちゃんのまっくろな目を見たとき　あ　これもうだめだって思ったの　目の奥覗き込んだら　お母さんのお母さんのお母さんのお母さんが見えたの　それがずっと層になってるの　たぶん私の目も」
「だからそういうの一回断ち切れたら　何か変わるんじゃないかって思ったの」
（『凪のお暇』9巻）

どうすれば、女性同士で受け継がれる「お前も私のケアをしろ」という規範の再生産は、止められるのか？　『凪のお暇』は、この問いについて考えている[1]。

そして現時点で『凪のお暇』が提示する回答とは、「男性が家庭から逃走し、女性にケアの役割を押し付けたことに、規範が再生産される原因がある」というものである。

夫の逃走、娘によるケア

『凪のお暇』10巻にて注目すべきは、凪の父である武が失踪したことにスポットライトが当たっている点だ。

つまり、母娘問題の根幹は——夫の逃走にある、と『凪のお暇』は告げている。

凪の母は、祖母との間に禍根があり、東京に出ていった過去を持っていた。そのとき、自分を心配して愛してくれる武と出会い、結婚しようとする。だが、妊娠を知った武は失踪し、凪の母はひとりで北海道に戻り、娘を育てた。

そしていま、凪の母は娘を見て気づくのだった。

「自分は夫にぶつけるべき感情を、娘にぶつけてしまっていた」のだと。

夫婦間で互いをケアし合う役割から夫が逃走し、結果的に、娘が母のケアを担当することになる。『凪のお暇』が描いているのは、このような構造だ。

第一章では、「なぜ母娘が密着しやすいのか?」という問い対し、以下の要因を挙げた。

(1) 母が夫より娘にケアを求めてしまうこと

(2) 娘の経済的自立が困難なこと

（3）娘が母の人生に負い目を感じやすいこと
（4）娘が息子より「しっかりした子」として親と対等に育てられやすいこと

これらはすべて夫が労働、妻が育児家事を担う「戦後家族モデル」が生み出したジェンダーギャップに起因する。そして、現代の日本においても、とりわけ地方においては、凪の実家のような「戦後家族モデル」が強固な理想像として存在する。だからこそ、（1）〜（4）のような母娘密着は、地方の家庭では受け継がれていく。

夫が不在の家庭では、娘が母のケアをする役割を補ってしまう。たしかに、母と娘は同性同士で話が合うことも多いだろうし、娘は母を心配してくれるだろう。仕事ばかりしていて、家のことが何もわからない夫と話をするよりも、同性の娘と話をしたほうが楽しいと感じる母がたくさんいるのは理解できる。

だが、娘に母の精神的なケアを押し付ければ、娘の負担が大きくなってしまう。『凪のお暇』において、凪は母に対して幾度も「大丈夫？」と心配そうに尋ねる。まるで、自身もまた子どもをケアする「母」であるかのように。しかしそれは本来、娘に押し付けられるべき役割ではない。

弱い母は、娘にケアを求める。だが、その原因をつくったのは、逃走した夫だった。

『凪のお暇』において、東京で「逃げる」武の姿は、北海道から「逃げられない」母と凪とは対比的である。ここには明確なジェンダー差がある。女性に自己犠牲的なケアを求める日本社会は、夫が家庭から逃走することを許し、女性が母になることを美化して語る［2］。父・母・娘（・息子）という家庭において父が不在になれば、母と子の密室が生まれてしまう。息子はその密室から「マザコン」という批判をもって脱出することができても［3］、娘はその密室から脱出する術《すべ》を持たない。しかし娘も、母との密室から脱出しなくては、いつまでも「それは母が許さない」と唱え続けることになる［4］。

『凪のお暇』は連載途中であるため、母娘問題の原因構造は解き明かしたものの、その解決策までは提示できていない。では、どうすれば娘の「母殺し」は可能になるのか――さらに作品を検証することで、考えていくこととしよう。

［1］凪は、隣人のゴンからプロポーズされたときも、「お母さんとの恋をおわらせてからじゃないとだめだ」と語る。

「でもごめんなさい　私が今恋してるのはお母さんなんです」
「初恋なんです　呪いに近いやつ」
「この恋をおわらせてからじゃないと　私　誰とも向き合えない」

（『凪のお暇』9巻）

捨てきれない母への愛着は、たしかに「初恋」のようなものかもしれない。代理母を探しても、母への愛着は捨てられない。そのため自分は「実の母からの呪い」を清算しなければ前に進めないのだ――と『凪のお暇』は宣言する。

［2］瀬地山角《せちやまかく》『東アジアの家父長制　ジェンダーの比較社会学』（勁草書房、1996年）

［3］品田知美『「母と息子」の日本論』(亜紀書房、2020年)

［4］母性愛の物語において「父が不在である」という批判は昔から指摘されている。たとえば、母性愛に関する言説について研究した社会学者・田間泰子は、フェミニズム研究において、「母の大きな存在の裏には父の不在があった」と指摘されてきたのをふまえ、「父が不在の母子の幸福物語」は、むしろその物語の語り手が男性たち(父親たち)だったからこそ、父の存在が削除されているのだと述べる。

母性を女性に「自然」な生物学的所与とすることによって、男性たち(父親たち)は免責されてしまう。したがって、子捨て・子殺し・中絶に関わる言説が抽象的なレベルにおいて父を排除し、母子という閉鎖的言説空間を構築するものとなったのは、喪失のレトリックの政治的特質である。男性たち(父親たち)は、レトリックの語り手(構築者)であったからこそ物語の中には登場しなかったのだ。男性たち(父親たち)、そして彼らと同様な立場にたってクレイムを主張する女性たちは道徳的に免責された「利害関係をもたない」存在なのであり、「若い母親たち」や「欠陥ママ」を道徳的責任主体として非難することができる。実は、クレイムを申し立てて非難の声を挙げ続けている彼・彼女たちこそが、道徳的実践を遂行している主体なのだが。

(田間泰子『母性愛という制度　子殺しと中絶のポリティクス』勁草書房、2001年)

親という観点では父も母も同様の役割だが、子育ての責任は母性ジェンダーのみに問われ、父はそこから逃げることが可能になっている。その理由について田間は、「母性の物語を作り上げたのが男性(父)だからである」と説明する。

母性愛の物語については、斎藤美奈子が『妊娠小説』(筑摩書房、1994年)で、子どもをつくる社会的役割(生物的ではない)が、女性ジェンダーにいかに固定されているかを、「中絶」という行為を通して解き明かした。「なぜこの女は中絶を望むのか」という命題は文学の主題になるが、「なぜこの男は避妊を望まないのか」という命題は、まったくもって前景化しない。それは、「父としての責任は逃避できるものである」という前提が潜むからだと斎藤は指摘する。その通りである。

ちなみに、1990年代以降、「母性」という言葉を使わないようにしよう、という試みは何度もあった。たとえば社会学者の舩橋惠子・堤マサエは、『母性の社会学』(サイエンス社、1992年)において、「母性」という概念は「親性」に置き換えられるべきだという提言をおこなっている。定着しなかったのだが。

3 父の問題

シングルファザーの育児物語

「母殺し」から少し離れ、本節では寄り道をして、こんな問いについて考えてみたい。現代において、「父が不在にならない家庭像」は、はたして描かれているのだろうか？2000年代以降、「イクメン」という言葉が流行し、2010年代には厚生労働省が「イクメンプロジェクト」を実施するなど、「母性の脱ジェンダー化」は推進されているように見える。しかし、父が不在にならない家庭の物語は、本当に描かれているのだろうか。

昨今では共働きの家庭が増え、さらに人々のジェンダー意識が変化した影響で、父の不在に違和感を持つ少女漫画が登場するようになった。前述した『凪のお暇』や漫画『違国日記』（ヤマシタトモコ、祥伝社、２０１７〜２０２３年）もそのひとつだろう。『違国日記』において作者は、両親を亡くした主人公の朝が、無口な父がどんな人間だったのかをよく知らないことに気づき、さまざまな人に父について聞いてまわる場面を描く。

また、小説や漫画を眺めてみると、男性作家による、父が育児の主体を担う小説や漫画は、既に多数存在している。

たとえば『キッズファイヤー・ドットコム』（海猫沢《うみねこざわ》めろん、講談社、２０１７年）は、ホストが拾った赤ん坊を育てる過程を描いた小説である。『プリテンド・ファーザー』（白岩玄《しらいわげん》、集英社、２０２２年）は、突然シングルファザーになった男性が、同じくシングルファザーの友人とふたりで育児をする小説である。『よつばと！』（あずまきよひこ、ＫＡＤＯＫＡＷＡ、２００３年〜）は、血縁のない父と娘が描かれた漫画であり、その育児描写も含めて長年人気を博している。

これらの作品は、家庭で「父」が存在感を持つ例になり得るだろう。

しかしここで問題なのは、彼らは皆シングルファザーである、ということだ。

男性作家たちは、男性が育児をする父になる物語において、妻との関係性を巧妙に避けて描く。むしろ、妻が（離婚などではなく、死別したり、赤ん坊を拾ったり、抵抗できない形で）いなくなる状況においてのみ、男性たちは自らが「父」になる状況を描いているのだ。理由のひとつは、「母」がいない設定においてのみ、「母親は何してるんだ」と読者に批判されることなく、男性を育児の主体に据えた物語を描くことができるからだろう。

しかし、このような「母」不在の父の育児物語では、夫婦のコミュニケーションを描くことはできない。

そういう意味で、『よつばと！』と同様のフォーマットとして存在する『ＳＰＹ×ＦＡＭＩＬＹ』（遠藤達哉、集英社、２０１９年〜）は、興味深い作品である。アニメ化され、『少年ジャンプ＋』の看板作品ともなっているこの漫画は、血縁のない父・母・娘を描いているが、それでいて娘を育児する主体は、父・ロイドにあるからだ。

なぜ『ＳＰＹ×ＦＡＭＩＬＹ』のアーニャは人の心が読めるのか

『ＳＰＹ×ＦＡＭＩＬＹ』のロイドは、家事も育児もできる父親として描かれている。スパイのロイド（父）、殺し屋のヨル（母）、エスパーのアーニャ（娘）は、ある偶然から、３人で家族を演じることになった。殺伐とした世界で、彼らは本当の姿を隠しながら、「普通の家族」を演じている。ロイドは裁縫も料理もできるため、料理が苦手なヨルに代わって家事を担っている。さらにロイドは任務遂行のため、アーニャの勉強も見る。こうして一緒に暮らしているロイドとヨルは、お互いの本当の姿を知らない。

しかし唯一、心を読める娘のアーニャは、全員の本当の姿を知っている。『SPY×FAMILY』の興味深いところは、アーニャが人の心を読める少女であるため、家族のディスコミュニケーションが常にアーニャによって解消される点にある。

ロイドとヨルという夫婦は、お互い本当の姿を隠した仮面夫婦である。そのため、しばしばディスコミュニケーションが起きてしまう。しかし夫婦関係の危機は、いつもアーニャという心を読める「娘」によって解消されるのだ。

ホームドラマコメディである『SPY×FAMILY』の「平和な家庭」描写は、夫婦の間にはディスコミュニケーションがあっても、「娘」がその仲を取り持てば平和になる、という私たちの価値観を露骨に反映している。

もちろん、アーニャという少女はファンタジーな存在だ。しかし、現実の娘たちがアーニャの役割——夫婦関係の橋渡し役——を求められれば、母と娘の支配構造はさらに強固になってしまうのではないだろうか?

『SPY×FAMILY』が、これほどまでに人気になっている背景には、「夫婦のディスコミュニケーションを、かわいくて心を読んでくれる娘が、常に解消してくれる」状況への欲望が潜んでいるのではないだろうか。

『Mother』の物語において「父」はいなくてもいい

本節では、夫婦と母娘の問題を描いた書き手として、坂元裕二という男性作家を挙げたい。坂元裕二はドラマや映画の脚本家として知られるが、『Mother』（2010年）や『Woman』（2013年）など、母娘を主題にした作品を多く世に送り出している。代表作のひとつが、芦田愛菜《あしだまな》の演技が話題になったことで記憶している人も多いであろうドラマ『Mother』だ。

主人公・奈緒は一時期、北海道で小学校の教師をしていた。奈緒はある日、クラスの怜南《れな》が、ゴミ袋に入れて捨てられているところを発見する。「虐待されている」と理解した奈緒は、怜南を連れ去る。そして、彼女の「母」になることを決意する。東京へ向かったふたりは、奈緒の里母のもとで暮らすようになる。

実は、奈緒もまた、実母に捨てられ、里母に拾われた娘だったのだ。

このドラマの特徴は、「父」が登場しない点にある。

『Mother』には4人の「母」が登場する。怜南の母になろうとする奈緒。奈緒の実母である葉菜《はな》。怜南の実母である仁美。奈緒の育ての母である籐子《とうこ》。そして、この全員がシングルマザーなのだ。また、珍しく「父」が登場したかと思えば、葉菜の夫も、仁美の彼氏も、母娘を引き裂こうとする〔1〕。つまり『Mother』には、子どもを大切にする「父」が登場しない。「この設定は意図的なものだった」と坂元は綴る〔2〕。

児童虐待は今も起きています。そこでは多くが父親の不在に要因があります。このドラマの題名は「Mother」ですが、主題は〝Father〟の不在でもありました。

(坂元裕二『mother』河出書房新社、2014年)

「父」の不在を通して、「母性」という主題を描けるとすること自体が、日本の家庭における父の存在感のなさを象徴しているだろう。

また、『Mother』の作中においては、「虐待する母」である仁美に対し、こんな言葉がかけられる。

「きっと百や千の理由があって、そのすべてが正しくて、そのすべてが間違っていると思います。母と子はあたたかい水と冷たい水の混ざり合った川を泳いでいる。抱きしめることと傷つけることの間に境界線はなくて、子供を疎ましく思ったことのない母なんていない、ひっぱたこうとしたことのない母親なんていない」

（『Ｍｏｔｈｅｒ』第8話）

「母」と「子」は常に一緒に川を泳ぐ存在である。一時的に傷つけることも、抱きしめることもある。だがそれも含めて、「母」と「子」は繋がっている。一方、「父」は、存在すらしていない。最初から不在である。川を一緒に泳ぐことすら、していない。

つまり、坂元の描く「母と娘の物語」には、「父」は存在しないとされている。

『カルテット』と夫婦のディスコミュニケーション

それでは、坂元は、「夫婦」をどのように捉えているのだろう？

坂元は、常に夫婦を「ディスコミュニケーションの舞台」として描き出す。

たとえば、ドラマ『最高の離婚』（２０１３年）においては、夫婦のディスコミュニケーションがコメディシーンの中心となる。ドラマ『カルテット』（２０１７年）では、夫婦のディスコミュニケーションと、共同生活の繊細で丁寧なコミュニケーションが対比される。

軽井沢の別荘で、４人の男女が、アマチュア弦楽四重奏の仲間として共同生活を始める。

そのうちのひとりである真紀は、実は夫に突然失踪されたばかりだった。夫の失踪した理由は、夫婦のディスコミュニケーションにあった。結局、真紀と夫は、夫婦の再構築には至らなかった。

本作で描かれるのは、「夫婦はわかりあえない」一方で、「わかりあえる疑似家族はつくれる」ということである。

たとえば、真紀は料理しているときに、BGMにJ-POPを流すが、その曲を夫の幹生は嫌悪し、ボリュームを下げていた。これは、夫婦のディスコミュニケーションの一例として挿入されたエピソードである。

一方、最終話では、真紀がコンサートの選曲にシューベルトの『死と乙女』を選んだ意味について、カルテットの仲間のひとりであるすずめと通じ合う。

すずめ「真紀さん。一曲目って、わざとこの曲にしたんですか?」
真紀「うん? 好きな曲だからだよ」
すずめ「真紀さんのこと疑って来た人は別の意味に取りそう」
真紀「そうかな?」
すずめ「何でこの曲にしたの?」

真紀「こぼれたのかな　内緒ね」
すずめ「うん」

（『カルテット』第11話）


「詩集を鍋敷きにされたのが悲しかった」という言葉すら通じなかった夫とのディスコミュニケーションに対して、このすずめと真紀の会話はどうだろう。たったこれだけの言葉で、通じ合うのだ。

夫婦ではなく、他人のほうが、コミュニケーションはうまくいく――ドラマ『カルテット』はそう告げる。

坂元裕二の主題としての「コミュニケーション」

脚本家・坂元裕二はいつも、「言葉を介さずに通じ合う関係性」を描く。

現実には、そのような関係性は存在しないに等しい。普通に生きている限り、人と人とは通じ合わないことのほうが多い。ディスコミュニケーションこそが社会の本来の姿である。

……だが稀に、通じ合える人がいて、一瞬だけ通じ合う瞬間がある。「こぼれたのかな　内緒ね」という言葉だけで、言いたいことが伝わることがある。その一瞬を坂元は描き続けている。

このバリエーションとして、映画『花束みたいな恋をした』（２０２１年）やドラマ『いつかこの恋を思い出してきっと泣いてしまう』（２０１６年）のように、「昔はその言葉が届いたのに、いつのまにか届かなくなってしまった」という「通じ合う関係性の喪失」を描くこともある。しかし、それでも、その言葉が届いていた頃の思い出は存在しているのだ。

たとえば、『いつかこの恋を思い出してきっと泣いてしまう』においては、母から娘への手紙が送られる。それは、未来の娘に届けるための言葉だった。

あるいは『Ｍｏｔｈｅｒ』の最終話においても、もう会えなくなる母から娘へ、「言葉が届くこと」が祈られている。

この手紙は、十二年後のあなたに書く手紙です。二十歳になったあなたに宛て、書いている手紙です。いつか大人へと成長したあなたが読んでくれることを願って。

（『Ｍｏｔｈｅｒ』第11話）

このような、母娘間や恋人間ではいくらか困難な状況でも奇跡的に「届く言葉」は、夫婦間では決して「届かない」。

実は、これはなぜか常に坂元作品に敷かれているルールなのである。夫婦間のディスコミュニケーションを主題に描いた『最高の離婚』を見ても、加害者家族と被害者家族の苦悩と葛藤を描いたドラマ『それでも、生きてゆく』（2011年）を見ても、あるいは『カルテット』を見ても、坂元作品における夫婦は、徹底的に「言葉が通じない」。「夫婦のディスコミュニケーション」と「母子のコミュニケーション」。この双方によって、坂元裕二作品は成立しているのだ。

『大豆田とわ子と三人の元夫』の提示したディスコミュニケーションの解決策

坂元が夫婦を描いた作品のひとつに『大豆田《おおまめだ》とわ子と三人の元夫』（2021年）がある。主人公のとわ子は、3回の離婚を経験したシングルマザーだ。

とわ子には、唄というひとり娘がいる。

とわ子と3人の元夫は、基本的にディスコミュニケーション、つまり「届かない言葉」によって繋がっている。

たとえば3番目の夫・弁護士の慎森《しんしん》とは、次のような噛《か》み合わない会話が続く。

慎森「柔らか過ぎるソファーって腰痛くなるでしょ」
とわ子「ならないよ」
慎森「あ、そう。あ、でも洗濯物置くところに困るよね。それだと、洗濯物置きっぱなしにしにくいでしょ」
とわ子「まあね、せっかくのいいソファーだし……」
慎森「ね。もう一個洗濯物置きっぱなし用ソファーが必要だね」
とわ子「ベッドとかに置くから」
慎森「なるほどね、ベッドね。あ、でも、ベッドに洗濯物置いとくと、夜寝る寸前に気が付いて、あー今すぐ寝たいのにこれどかさなきゃあってなるよね」
とわ子「夜まで置きっぱなしにはしない」

（『大豆田とわ子と三人の元夫』第2話［3］）

ここにも、「夫婦の関係は基本的にディスコミュニケーションで繋がっている」という坂元作品のルールが敷かれている。
さらに、1番目の夫・八作《はっさく》と離婚した際も、その離婚の原因となる八作の片思いについて話し合えなかった、つまり重要なことを言葉にして交わせなかったことが示唆される。八作とのコミュニケーションについて、とわ子は「彼の何も言わないところを好きになって、何も言わないところがつらくなって」いたのだと語っている。そして、離婚してはじめて、ふたりは離婚の原因について言葉を交わせるようになる。夫婦ではなく他人になったほうが、コミュニケーションがとれるのだ。

とわ子「一回、こういう話、したかったんだよ」
八作「何で」
とわ子「あなたから子供を奪って、子供から父親を奪ってるからだよ」
八作「……」
とわ子「そういうことは思ってるんだよ、常々」
八作「常々思わなくていいよ」

（『大豆田とわ子と三人の元夫』第5話）

作品の後半では、唄が突然医学部を目指すことをやめた理由について焦点が当たるのだが、これについては、とわ子の「医学部を目指すことを続けたほうがいい」という願いが届く。半ばできすぎなほどに、母・とわ子の言葉は、娘の唄に届くのだ。その様子は、3人の元夫とのコミュニケーションがうまくいかず、3人とも離婚に至ったのとは真逆である。
そして『大豆田とわ子と三人の元夫』では、坂元が新たに提示した境地――夫婦間のディスコミュニケーションを解消する手段が示される。その手段とは、とわ子が元夫たちの「母」になることだった。

「甘えさせる母」としてのシングルマザー

坂元が描いてきた夫婦間のディスコミュニケーションは、とわ子がまるで「母」のように相手を許すとき、解消される。

とわ子「いいんだよ、はみ出したって。嫌なものは嫌って言っておかないと、好きな人から見つけてもらえなくなるもん」
慎森「(嬉しくとわ子を見つめ) ありがとう」

(『大豆田とわ子と三人の元夫』第2話)

とわ子は会社でも社長の役職に就いているのだが、その様子もまた「母」のイメージを彷《ほう》彿《ふつ》とさせる。

また、とわ子には、かごめという幼馴染がいるのだが、彼女にとってもとわ子は、甘えすぎてしまう「母」のような存在であることが示唆されている。

八作「(思い返すように) かごめちゃん、昔言ってたよ。とわ子は友達じゃないんだよ。家族なんだよねって」

とわ子「……へえ」

八作「とわ子はわたしのお父さんでお母さんで、きょうだいなんだよね。だから甘え過ぎちゃうんだよって」

(『大豆田とわ子と三人の元夫』第4話)

そして、とわ子の娘の唄もまた、とわ子の傍にいると「甘え過ぎてしまう」からと、実家を出ることを決意する。

とわ子は他人を甘やかし、「許しすぎる母」として描かれているのだ。

3人の息子に囲まれた大豆田とわ子

「母」の役割を得ることで、離婚した元夫たちとの間にコミュニケーションをとり戻したとわ子。彼女は最終的に、3人の「母」のような振る舞いに至る。

そのことが特に顕著に表れているのが、3人の元夫ととわ子が、4人でいる場面である。

最終回の最後のシーンを以下に引用する。物語は、3人の元夫が、逃げまわるとわ子のあとをついていく様子が映されて終わる。

とわ子「え、待って待って待って、何で付いて来るの」
慎森「僕らもこっちが帰り道だから、(鹿太郎と八作に)ね」
鹿太郎「(慎森と八作に)ね」
八作「(慎森と鹿太郎に)ね」
とわ子「え、何の、ね? 意味わかんない」
とわ子「付いて来ないで」
とわ子「付いて来ないでって言ってるでしょ」

（『大豆田とわ子と三人の元夫』第10話）

どんな場所にも後追いしてくる3人に、「待って待って待って、何で付いて来るの」と言うとわこの様子は、まるで3人の息子の「母」のようである。子どもはどんな場所でも母についていこうとする。母は苦笑しながら、3人の息子に囲まれて生きている。つまり3人の夫が、まるでとわ子という「母」を取り合う息子たちのような振る舞いをして、物語が閉じられるのだ。

このラストシーンについて、「とわ子は3人の元夫と、性愛ではなく友愛の関係を築いたのだ」と解釈する人もいるだろう。だが私にはこれが、母子という主題に見えてしまう。離婚した元夫婦という成熟した関係が、いつのまにか、疑似母子の関係——なんでも許容してくれる「母」のような大豆田とわ子と、3人の兄弟のような元夫たちという関係に変化しているのだ。

『大豆田とわ子と三人の元夫』は、トレンディドラマのような「お洒落《しゃれ》」な画面づくりになっている。とわ子の着る服も、3人の元夫の職業も、3人が集う店や家も、潤沢な資金と文化の匂いをさせる豊かで素敵なつくりだ。コンセプトも、「日々奮闘するたまらなく愛おしいロマンティックコメディー」[4]だ。つまりは、成熟した中年男女による、大人のラブコメディであるはずなのに。

成熟した大人同士の関係性が、結局「母」と「息子」の関係性になってしまった。それは、決して偶然ではないだろう。背景には、夫婦の絶対的なディスコミュニケーションの問題が存在している。

子どものいる夫婦の対等なコミュニケーションは描かれ得るか？

坂元裕二はあくまで「夫婦」というパッケージでは「届く言葉」を描こうとしない。夫婦関係は必ず、ディスコミュニケーションの舞台になってしまう。

しかし母と息子ならば、「届く言葉」を描くことができるのだ。なぜなら親子だから。

これは、『カルテット』において、真紀の夫を逃走させたことで、カルテットの疑似家族が完成したことと同じ構造に見える。『大豆田とわ子と三人の元夫』では、元夫たちを夫ではなく「息子」にすることで、疑似家族を完成させる。

夫婦愛は失敗する、だからこそ、母性愛は加速する。なぜなら家族という共同体を繋ぐ絆が、親子のつながりしかないからだ。

初恋のような関係でもなく、母性に頼ることなく、大人の男女が夫婦として言葉を届け合う様子は、描かれないのだろうか。いま私たちが求めているのは、対等な夫婦のコミュニケーションが成立している家族の物語であるはずなのに［5］。

［1］坂元は、虐待する母である仁美について、「視聴者の誤解を解くために過去のエピソードを挿入した」と語る（坂元裕二『脚本家　坂元裕二』ギャンビット、2018年）が、逆に言えば仁美の夫や葉菜の夫は、「虐待した」というエピソード以外描かれないのだ。

［2］坂元自身、『Mother』に父を登場させない点について以下のように語る。
でも、父親は基本的にドラマにならないと思っている（笑）。（中略）男の子育てドラマとかはあるけど、育てるだけでドラマになってしまうということに問題がある。子どもに対する嫉妬とか、母親はいろんな感情を持ってるけれど、父親は息子や娘に嫉妬したりしない……あまり聞かないし。お父さんってやっぱりどこか上から目線になっちゃうんですよね。母親を描く時は、同性として娘に接するとか、女性として息子と接するという局面が見受けられるけれども、男はただの偉そうにしてる人になっちゃうんですよね。

（巻末座談会「努力の結晶が奇跡をも生んだ」『mother 2』河出書房新社、2014年）

父と子どもの関係には、ドラマとして描くべきものを発見できない。そう坂元は語っている。

［3］坂元裕二『大豆田とわ子と三人の元夫Ⅰ』（河出書房新社、2021年）

［4］坂元裕二『大豆田とわ子と三人の元夫2』（河出書房新社、2021年）

［5］またもうひとつ疑問として浮上してくるのは「母と息子は果たして健全な関係を築けているのか？」という問いである。
男性は母娘関係を「男にはよくわからない話」として切り捨て、そのうえで自らの母息子問題についても、顕在化させようとしない傾向がある。臨床心理士の信田さよ子は、この傾向について以下のように指摘する。

それに、母娘問題がここまで世間の注目を集めたとしても、どうせ女性だけの問題だ、男にはよくわからない、というジェンダー意識が底流にあることは否めないだろう。生簀《いけす》の中で魚が跳ねても、外の世界には影響がないようなものだ。いっぽう母娘問題の陰に隠された母・息子の問題が、実はどれほど深刻なものかはあまり知られていない。カウンセリングの場では数多くのそんな男性に出会ってきたが、多くの男性はネット上ですら自分と母との関係を語ることをためらうのである。

（『母・娘・祖母が共存するために』）

母と息子の問題について、息子側から語るケースはしばしば存在する。たとえば末井昭と春日武彦の共著『猫コンプレックス母コンプレックス』（イースト・プレス、２０２２年）は、息子として、母との関係について、大人になっても葛藤を抱いていることを綴り合う。春日武彦は、『鬱屈精神科医、占いにすがる』（太田出版、２０１５年）で、自分の悩みの根本は母との関係にあったことを明かしている。

「母と息子」のような関係にならない夫婦像を描くためには、「母と息子」の関係が何を意味しているのかを点検するのも重要だろう。本書では、この問いについてはこれ以上言及しないが、今後の課題としたい。

第四章　「母殺し」の脱構築

1

母と娘の脱構築

母娘の構造

さて、第四章ではいよいよ、「娘が母を殺すには？」という問いの回答に迫ろう。

ここまで、従来のフィクションで描かれてきた「母殺し」の実践の軌跡をたどってきた。再掲になるが、以下の手法が存在する。

①理想の代理母を、恋人／フィクションに見つける（第二章1、2）

②母を嫌悪する（第二章3）

③嫌悪した母と違う母になる（第三章1）

しかしそのどれもが、むしろ「母殺し」の困難を浮き彫りにした。母の規範を手放そうとしたはずが、逆に母の規範の内部に留まったり、あるいは自分が別の規範を再生産する母になってしまったりするからだ。

そして、なぜ「母殺し」は困難なのか？　と言えば、母娘が家族のなかでもっとも密着しやすい関係だからである。

第三章2で見たように、家庭において父の存在感は希薄になりやすく、夫婦関係はディスコミュニケーションに陥りやすい。その結果、娘は母にとって家庭内で、唯一話のわかる相手になる。娘も経済的・精神的な理由から母を拒否できず、母娘は密室に閉じ込められる。

では、母娘の密室は、どうすれば脱出できるのだろう？

本章では、この問いの回答を示したい。

「母殺し」の達成条件

母娘の密室の脱出方法。これについて考えるために、まずはこんな問いを提出してみたい。

母娘の密室は、どういう状態になれば脱出できたと言えるのだろうか？

――こう言い換えることもできる。

どういう状態になれば、「母殺し」は達成できたと言えるのだろうか？

たとえば、「イグアナの娘」の例を考えてみよう。「イグアナの娘」において、リカが「母殺し」をしたタイミングはどこだっただろう。それは母の規範を（イグアナの夢によって）理解し、自分の結婚や出産を受け入れたタイミングだったのではないか。「自分はイグアナだから」といろんなものを諦めていたリカは、母が死んではじめて「イグアナ」という規範よりも結婚や出産という自分の欲望を優先させることができた。

つまり、母の規範よりも、自分の欲望を優先させることで、リカは「母殺し」を達成する。社会はさまざまな規範に満ちている。たとえばリカに「美人なんだから早く結婚しないといけない」という規範を押し付けようとした男性もいたかもしれないし、あるいは「成績がいいんだから、進学したほうがいい」という規範を与えようとした先生もいたかもしれない。しかしリカは、そのような規範を意識せず、母の与えた規範のみを、絶対的な規範とした。さまざまな社会的規範の網のなかで、私たちは生きているが、母娘の密室のなかにいる娘は、母の規範だけを絶対視してしまうのだ。そして娘は、そのような「母の規範を絶対視する世界」から、抜け出す必要がある。

母の規範を絶対視しなくなることで、娘は母の規範に反する欲望を叶えられるようになる。つまり、「母に許されない」ことも選択できるようになる。だとすれば、「母殺し」の達成条件は、このように表現することができるのではないか。「母の規範を相対化し、自分の欲望を優先すること」だと。

母娘関係の脱構築

そもそも「親殺し」という言葉は、「親を子が倒す」という世界観に基づいている。つまり親と子という二項対立の世界観に根差している。父と息子のタテの関係は、そのような捉え方でもよい（実際にフロイトは「父から母を奪うこと」を、息子が父に勝ったことの証拠とした）が、母と娘のヨコの関係において、娘は永遠に母に勝てない。なぜなら母が娘よりも強ければ、娘は母に支配され、母が娘よりも弱ければ、娘は「母を助けなければいけない」と思ってしまうからだ。つまり「親殺し」を母娘の二項対立で捉える限り、娘は母には勝てない。

だとすれば、「母殺し」に必要なのは、母と娘の二項対立の世界から、母娘以外にも誰かが存在している世界に移行することだ。

前章で見たように父不在の家庭においては、母娘密着が起こりやすい。そして、母娘の二項対立の世界にいる限り、娘は母から離れることは困難である。そのとき重要になってくるのが、母娘の間の、第三者の存在だ。

ちなみに、絶対的な二項対立で人間を捉えることをやめ、複雑な関係性を取り戻そうという概念を、哲学の世界では「脱構築」と呼んだ［1］。私は母娘の関係においても、脱構築を目指すべきだと考えている。

では母娘の規範の世界において、第三者を登場させるためには何が必要か？

それは、娘の欲望である。

「母殺し」とは、母の規範よりも自分の欲望を優先させることである。そう考えると、母娘の規範の世界に、娘が欲望する第三者を連れてくることの重要性が理解できるだろう。母娘のなかだけで母娘関係を解決しようとすると、がんじがらめになってしまう。そうではなく、むしろ母娘関係が外に開かれる――母娘の間にはいなかった第三者を、娘が引き込むことが必要なのだ。そのためには、娘の欲望を重視することが大切になる。

新たな規範を手に入れる

よしながふみの漫画『愛すべき娘たち』（白泉社、2003年）は、このような母娘の脱構築モデルを描いた。

主人公の雪子は、50歳を過ぎた母・麻里が再婚するというニュースに驚く。

麻里の再婚相手は、若い元ホストの男性である。なぜそんな男性と結婚するのか、と雪子は驚くが、麻里は結婚すると言ってきかない。

しかし相手の男性・健と交流を重ねるうち、母がこの男性を再婚相手に選んだ理由がわかるようになる。

母は祖母に「不細工だ」と言われた経験から、容姿にコンプレックスを抱き続けていた。祖母は母にできるだけ謙虚な姿勢で生きる子に育ってほしくて、容姿を褒めないようにしてきたのだ。

一方、母の再婚相手・健は、母に「きれいだよ」と伝え続ける。その承認が、母には必要なのだと、雪子は理解するようになる。

母・麻里は、自らのコンプレックスが母の規範（＝「あなたは不細工だ」という言葉）によって生まれたものであることに気づいている。そして、母が娘へそのような規範を与えた理由についても理解している。しかしそれでも、母・麻里は自らのコンプレックスから脱却することができない。

健は麻里のコンプレックスについて、このように語る。

「けどそういう事情が分かったところで一旦できあがっちゃった彼女のコンプレックス

がなくなる訳じゃない　分かってるのと許せるのと愛せるのとはみんな違うよ」
「だって何も犯罪みたいに悪い事してる訳じゃないんだ　よってたかってそれを治さなきゃって彼女に言ったりはできないよ」

（『愛すべき娘たち』）

「母殺し」の実践のために、母の規範に気づくことは必要だが、それだけで「母殺し」が達成されるわけではない。そのうえで、『愛すべき娘たち』の麻里は、再婚相手から新たな規範を得ることで、「母殺し」の実践を試みる。

麻里は、再婚相手である健を欲望することではじめて、「母殺し」を達成しようとするのだ。

母の唯一無二性から脱却する『愛すべき娘たち』

母に与えられた規範から、容姿へのコンプレックスを持つ麻里は、健という若い再婚相手と同居を始める。そして健は「麻里さんは綺麗だよ」と言い続ける。

つまり、このとき麻里のなかには、ふたつの規範が同居していることになる。

①母から与えられた「麻里はきれいではない」という規範
②健から与えられる「麻里はきれいである」という規範

健と結婚したことで、麻里はこれらふたつの規範を同時に手に入れる。健の存在によって、母の規範がなくなるわけではない。健もそのことを理解しているからこそ、「できあがっちゃった彼女のコンプレックスがなくなる訳じゃない」と語る。しかし、それでも母の規範は、健によって相対化され得る。母の規範を消去するのではなく、母の規範を別の規範で中和する。

物語の最後で、娘の雪子は、いつか麻里が母の規範を手放す日が来ることを予感する。『愛すべき娘たち』の麻里の物語はそのように閉じられる。

母の規範は、なくなるわけではない。それでも、母以外の人間の存在に気づき、母以外の他者を欲望することで、母の規範は絶対的なものではなくなる。こうして「母殺し」は達成される。

『愛すべき娘たち』の最終話は、このような言葉を提示する。

母というものは　要するに　一人の不完全な女の事なんだ

逆説的ではあるが、母を殺そうとすればするほど、すなわち敵として対峙《たいじ》すればするほど、母の規範は強化される。母は絶対的に大きな、神のような存在となり、余計に殺せなくなる。

しかし母は、唯一無二の絶対的な神ではない。完璧な母性を持った人間でもない。母もまた、ひとりの不完全な個人にすぎないのだ。

そして、母の愛は、この世にある愛のひとつにすぎない。母の愛以外にも、この世にはさまざまな愛があるし、母の呪い以外にも、この世にはさまざまな呪いがある。

母もまた、自分の世界に登場する人間のひとりであることを思い出すこと。他者を欲望し、他者の価値規

母というものは
要するに
一人の不完全な
女の事なんだ

よしながふみ『愛すべき娘たち』ジェッツコミックス、白泉社

範を自分のなかに取り入れ、母の価値規範を相対化すること。結果として、母の規範を絶対視する世界から抜け出すこと。それが、本書が提示したい「母殺し」モデルなのだ。

『私ときどきレッサーパンダ』と更新される「母殺し」

では、どうすれば、母以外の他者の規範を手に入れ、「母殺し」を達成することができるのか?

その回答を描き出すことに成功したのが、2022年に公開されたドミー・シー監督によるピクサー・アニメーション・スタジオ製作アニメ映画『私ときどきレッサーパンダ』(2024年3月現在ディズニープラスで配信されている)である。「イグアナの娘」の主題を『愛すべき娘たち』が発展させたとしたら、『私ときどきレッサーパンダ』はその解決策を提示している。

舞台は2002年、主人公はトロントのチャイナタウンに暮らす13歳のメイ。彼女は「親を敬いなさい」「先祖を大切にしなさい」「早く帰宅して家を手伝いなさい」という母の教えに従って暮らしていた。メイの日々の楽しみは、学校で親友たちと一緒にアイドル「4★TOWN(フォー・タウン)」のファン活動をすることだった。

ある日、メイはある店の男の子に一目惚れする。しかし、メイが一目惚れして描いた落書きを見た母は激怒。その落書きを持って、一目惚れの相手がいる店に乗り込んでしまう。羞恥《しゅうち》に耐えられなくなったメイは、翌朝、自分が巨大なレッサーパンダになっていることに気づく。そしてそれからというもの、メイは感情をコントロールできなくなると、レッサーパンダになってしまう。

しかし実は、「レッサーパンダ」は、先祖代々、メイの家の女性だけに受け継がれてきた呪いだったのだ。

メイの家庭は、伝統的な東アジア共同体的家庭像である。つまり日本と同様に、父の存在感が薄く、逆に母は教育熱心で存在感が強い。また、メイの母は、作中でも登場する祖母によって厳しく育てられていた。前章で見た『愛すべき娘たち』や『凪のお暇』と同様、『私ときどきレッサーパンダ』においても、祖母から母、母から娘へと、女性の間で規範が再生産され抑圧が継承されるさまが描かれる。

そんな家庭においてメイは、母の教えを忠実に守って生きている「いい娘」だ。放課後は友人たちとの遊びを切り上げ、家族の手伝いをするために早めに帰宅する。

「いい子を演じてないと　ママの心が離れそうで…」

（『私ときどきレッサーパンダ』）

だが、そんなメイに異変が起こる。

ある日、大きくてモフモフの赤い「レッサーパンダ」になってしまうのだ。

メイがレッサーパンダになるのは、思春期の心身の変化の比喩である。恥ずかしくなったり、過度に怒りを感じたり、感情が沸騰したとき、自分が自分でないような身体に変化してしまう。この「自分ではコントロールできない感情の波」を本作では、「レッサーパンダ」として表現する〔2〕。作中、レッサーパンダになったメイに、「生理が来たのか」と母が勘違いする場面があるが、「レッサーパンダになること」は、女子の思春期の通過儀礼として描かれている。

一方で、「レッサーパンダ」は普遍的な思春期を表現していながら、メイの家の女性のみに受け継がれる、呪いでもある。

メイの家の女性たちは、思春期に呪いを解く儀式をすることで、「レッサーパンダの呪い」から脱してきたのだ。

母のコンプレックスが娘のチャームになる

実はメイの母もまた、「レッサーパンダ」になった過去を持っていた。だからこそメイの母は、メイを早く「レッサーパンダの呪い」から脱却させようとする。「レッサーパンダ」は、母から娘へ受け継がれるコンプレックスなのだ。

――この話を聞いて、何か思い出す作品はないだろうか。

そう、本書の冒頭で扱った「イグアナの娘」だ。

「イグアナの娘」においても、イグアナであることは、母から娘へ受け継がれるコンプレックスだった。『私ときどきレッサーパンダ』において、レッサーパンダになってしまうことが、母から娘へ受け継がれるコンプレックスであるのと同様に。

『私ときどきレッサーパンダ』において、メイははじめは母の教え通り、レッサーパンダの呪いを解いてもらおうとする。

だが、『私ときどきレッサーパンダ』が傑作なのは、ここからだ。

『私ときどきレッサーパンダ』のメイは、レッサーパンダの呪いを解くことを拒否するのだ。つまり、感情が暴走したときにレッサーパンダになる能力を持ったまま生きることを選択する。

そしてメイは、レッサーパンダの呪いを解こうとする母と、決別する。

メイは、「レッサーパンダ」になってしまうことについて、母から「それは呪うべきコンプレックスだ」という規範を与えられる。そのため、一度は「脱レッサーパンダ」をはかる。しかしメイは、「レッサーパンダ」になってしまうことを、自分の魅力の一部として捉えなおす。こうして、母の規範は相対化され、「母殺し」は達成される。

母の規範が破られるとき

なぜメイは母の規範に反して、「レッサーパンダ」である自分を受け入れられたのか？

それは、メイが「自分の欲望」を重要視したからだ。

メイは、アイドルが好きなオタクである。つまり、メイは母の規範に従う娘だったが、家庭の外部に「アイドル」という大好きな存在を持っている。そのため、教育ママである母の教えに反して、アイドルのコンサートに行こうとする。コンサートに行くために、お金を貯めようとする。

そして、母の教え＝レッサーパンダの呪いを解く日と、アイドルのコンサートの日が重なったとき、後者を選択しようとする。

それは、母を絶対視しない方法そのものだ。

母は娘に「自分の規範を守れ」と教える。しかし娘は、「アイドルのコンサートにどうしても行きたい」という外部への欲望をもって、母の規範から逸脱しようとする。

シリアスな母娘関係を解消するきっかけが、アイドルのコンサートだなんて笑ってしまうだろうか。実際、『私ときどきレッサーパンダ』がアメリカで公開されたとき、「普遍性がない物語だ」と男性観客には不評だったらしい〔3〕。

しかし私は、このメイの選択こそが、「母殺し」の実践に不可欠だと思っている。単に、「推し活」が母娘関係を良好にするなどと言いたいわけではない。

重要なのは、「娘の欲望」の在り方だ。

母の規範のなかで生きていたメイは、社会=家庭の外部に触れるなかで、自分の欲望を知る。アイドルのコンサートに行きたい、店の男の子に一目惚れする、たまには放課後、友達と遊びに行きたい。そのような欲望を自覚したメイは、母の規範を破る。

そして、コンサートのチケット代稼ぎの過程で、メイはレッサーパンダの姿は欠点ではなく魅力になることを知る。レッサーパンダの姿は、決して母の言うようなコンプレックスではない。コンプレックスだとするのは、あくまで母の規範であり、メイにとっての真実ではないのだ。

こうして、メイは「レッサーパンダは私の一部」と語るようになる。

他者への欲望に気づくことで、母の規範を相対化する

ドミー・シー監督は、日本の漫画・アニメの文化から影響を受けていると語る［4］。たとえば、『美少女戦士セーラームーン』や『らんま1／2』の変身のアニメーション描写のオマージュは、作中随所に見られる。また、『私ときどきレッサーパンダ』のメイキング・ドキュメンタリー『レッサーパンダを抱きしめて』（ディズニープラス配信）において、シー監督が日本の少女漫画の『フルーツバスケット』（高屋奈月）や少年漫画の『犬夜叉《いぬやしゃ》』（高橋留美子）を好きだったと語る場面もある。

そうした背景をふまえると、『私ときどきレッサーパンダ』が、本書が語ってきた日本の少女文化における母娘問題を継承して発展させせたと論じることは、決して的外れではないはずだ。

製作スタッフは、メイがレッサーパンダになってしまう呪いについて、このように語る。

拒絶すれば呪いになる、受け入れればずっと喜びを与えてくれる贈り物になる
メイは受け入れたことで世界が一気に広がりました

（『レッサーパンダを抱きしめて』）

母娘関係に縛られる娘は、どうしても世界を母の規範で固定してしまう。しかし、世界は広く、母娘関係だけで成り立っているわけではない。重要なのは「世界を広げること」なのだ。そしてその契機は、娘・メイの欲望にあった。

メイは自身の成熟の過程で、娘が母の規範を破る——「いい子」を演じていたメイが、混乱の末に自分の欲望（アイドルのコンサートに行きたい！）を見つけ、母以外の重要な他者と出会う。

それはたとえば、『残酷な神が支配する』や『日出処の天子』が提示するような、対幻想に母の代替を見つける行為とは異なる。メイにとって、アイドルや友人は、「母」のように自分を理解してくれたり守ってくれたりする存在にはなり得ないからだ。しかし、母娘の関係を脱構築し、母以外の他者を自分の内部に取り込む手段にはなる。

メイの場合は、欲望する他者とは、アイドルだった。だが、この他者とは、必ずしも人間でなくてもいい。世界には、ヒトやモノや自然や知識などさまざまな豊かな存在がある。そ

れらに触れ、欲望することそのものが、重要なのである。

あなたが、母の規範に悩む娘であるならば、まずは自分の欲望を大切にすることだ。『私ときどきレッサーパンダ』は、そう提唱する。

その先に、母以外の他者と出会い、大きな影響を受ける経験が待っている。そして、他者への欲望に気づいたとき、母の規範は相対化され、母が絶対的な存在ではないことに気づく。それが、娘が「母殺し」を達成するきっかけとなるのだ。


［1］フロイトのエディプス・コンプレックスの構造を批判したドゥルーズ／ガタリ『アンチ・オイディプス　資本主義と分裂症』（原著1972年）は、「欲望とは決して父と母との関係によって規定されるものではなく、もっと多様な影響を受けて成り立つものだ」と述べる。

しかし彼らが、オイディプスに、永遠のママの嘆きや永遠のパパの議論にのめりこむようにみえるちょうどそのときに、じつは彼らは別の企ての中に巻き込まれている。それは孤児の企てであり、地獄の欲望機械を組み立て、性の非人間的な要素を構成する接続と切断の、流れと分裂のリビドー的世界に欲望を結びつける。

（ジル・ドゥルーズ／フェリックス・ガタリ著、宇野邦一訳『アンチ・オイディプス　資本主義と分裂症』河出文庫、2006年）

これについて日本の哲学者の千葉雅也は、以下のような解釈を語る。

やっぱり私たち現代人は、近代から続いている社会システムのなかで生きていて、とくにそのなかでも家族というのは強い意味を持っています。しばしば「毒親」問題が言われるし、幼少期の虐待の問題などもある。そういう意味では、自分の家族関係をそう軽く見ることはできないと思います。

僕自身は、精神分析的な家族関係の解きほぐしが無意味だとは思いません。ただ、それだけですべてが解決する、そこにすべてが集約されているともまたドゥルージアンとしては思いません。ここはダブルで考えていて、まず家族関係の分析は、それはそれでやったらいい。と同時に、そこにすべてを集約させないで、より多様な関係性に自分を開いていくのです。それはつまり、自分が小さい頃にどんなものを外で見てきたか、どんな人間関係が家族の外に広がっていたか、といったことです。たとえば僕の小さい頃はファミコンが初めて登場した時代ですが、そうしたゲーム的世界観が広がっていったことは、精神形成上すごく重要な意味を持っていたりします。そのことと家族関係の問題はどちらも重要なことだと思うのです。

（千葉雅也『現代思想入門』講談社現代新書、２０２２年）

本書も千葉と同じ態度をとる。母の影響と、千葉の言う「ファミコン」の影響、どちらも並べることで、母の影響を相対化することが重要なのである。

［2］ドミー・シー監督はレッサーパンダの比喩について「『私ときどきレッサーパンダ』は成長期を描いています。あるとき目覚めたら何フィートも脚が伸びていて、身体中に毛が生えてきて、いつもお腹が空いている。自分自身が、まるで身体の中に入ったエイリアンみたいに感じられる――たぶんほとんどの人が成長期にそんな経験をしているんじゃないでしょうか」と語っている（「ピクサーの〝ルール〟を破った『私ときどきレッサーパンダ』が切り拓いた新境地」「ＷＩＲＥＤ」掲載、ＷＥＢサイトＵＲＬ：https://wired.jp/article/turning-red-is-pixars-most-personal-movie-yet/　２０２２／３／31公開）

［3］〝Pixar's 'Turning Red' Helps Break a Glass Ceiling〟（The New York Times ＷＥＢサイトＵＲＬ：https://www.nytimes.com/2022/03/07/movies/turning-red-movie-interview-domee-shi.html'　２０２２／３／７公開）

［4］「『私ときどきレッサーパンダ』｜特別映像｜Ｄｉｓｎｅｙ＋ドミー・シー＆細田守 スペシャル監督対談」（ＵＲＬ：https://www.youtube.com/watch?v=WbwmcXiajDU）

2 二項対立からの脱却

『娘について』が描いた「母にできること」

娘にとって「母殺し」の困難は、日本だけでなく、『私ときどきレッサーパンダ』が描くように、東アジア文化圏全体の問題であるらしい。韓国の小説『娘について』（キム・ヘジン著、古川綾子訳、亜紀書房、2018年）もまた、「母殺し」についての物語である。

この小説の素晴らしい点は、母視点で綴られている点にある。

そこで本節では、『娘について』を読みながら、「母の視点から見た母娘関係」について考えてみたい。

もし、母が自分の規範によって娘が苦しんでいると気づいたとき、母にとって娘にできることは何だろう？　この問いに答えを出しているのが同書である。あらすじは次の通りだ。60代の介護施設で働く母親のいる実家へ、住む場所をなくした30代の娘が戻ってきた。博士課程に進み高学歴だが定職がない彼女は、同性のパートナー・レインを連れてきている。

　しかし母親は、どうしても娘が同性愛者であることを受け入れられない。

普通の仕事や普通の結婚をしてほしいと思っていたのに、なぜ娘はそうではないのか。母親はまったく理解できないまま、娘を実家に迎え入れる。

『娘について』の娘は、非正規雇用ゆえに実家を頼らざるを得ない。しかし、本作に登場する娘は、母の規範にしっかりと抗おうとする。たとえば、同性の恋愛を理解できず、レイン(娘の恋人)について「家族じゃない」と述べる母に、娘は「どうしてこれは家族で、あれは家族じゃないって言えるの？」と問う。しかし、母はそんな娘に対して、「お前は私の娘なんだから、そんな一般論を言うな」と返すのだ。

「ただあるがままに、そうなんだって受け入れてくれたらだめなの？　細かいとこまですべてを理解してくれって言ってるわけじゃないでしょう。世の中にはいろんな人がいるんでしょ？　それぞれの生き方があるんでしょ？　人と違うのは悪いことじゃないんでしょ？　これって全部、母さんが言ったことじゃないの？　それなのに、どうして私だけがいつも例外なの！」
「お前は私の娘じゃないの。私の子どもじゃないか」

（『娘について』）

なぜ母は、娘について「自分の与えた規範を守らないのか」と苛立つのか。それは、娘が幸せになることが、母の幸せに繋がるからだ。

母は、普通の仕事に就いて、普通の結婚をすれば、娘は幸せになれると思っている。それなのになぜ娘は、わざわざ同性の彼女と恋愛したり、高学歴ワーキングプアになろうとしたりするのか。母の目に映るのは、ただ結婚せず貧乏に苦労する娘の姿である。そんな娘に対して母は、「なぜ自分の与える規範を守ろうとしないのか」という葛藤を率直に吐露する。

韓国では日本以上に、若年者の失業率の高さ、あるいは大都市圏での慢性的な不動産高騰といった社会的困難が、若者たちの人生に影を落としている。だからこそ母は、なぜ娘がわざわざ苦しい道を選ぼうとするのか理解できない。幸せになるための規範を自分は示しているはずなのに、なぜ娘はその規範から離れようとするのか。そう、何度も問う。

母の規範、娘の幸福

『娘について』の母は、「娘には譲歩している」と何度も言う。つまり、「自分の規範の範囲を、緩めてあげている」と。

娘が玄関のドアを開けると、狭くて薄暗い部屋が現れた。薄い布団。小さなちゃぶ台とスタンドしかない部屋。夜も昼も陽の当たらない部屋。娘が紙コップに水を注いで差し出した。床に置かれた紙コップを黙ってぼんやりと見下ろしていた私は部屋を出た。水には手もつけなかった。

そして苦しみの中で気づいた。

娘をたぐり寄せる努力をこのまま続けていたら、この張りつめた危なっかしい紐は切れてしまうんだな。このまま娘を失ってしまうんだな。

でもそれは、理解を意味するものではない。同意を意味するものでもない。私はただ、自分が握りしめていた紐を緩めただけだ。娘がもう少し遠くまで動けるように譲歩しただけだ。期待を捨て、欲を捨て、またなにかを捨て、捨て続けながら引き下がっただけだ。それがどんなに苦しいことだったか。娘はほんとにわからないのか。わからないふりをしているのか。わかりたくないのか。

（『娘について』）

母は最大限、規範を緩めようとする。しかし娘は、どれだけ規範を緩められても、母の規範に苦しんでいる。

なぜなら、母の規範は、娘の欲望とそもそも根本的に食い違っているからだ。

母の規範は、どれだけ緩くしたところで、「普通の幸福を追い求める人生を歩んでほしい」という願いに基づいている。しかし娘の欲望は、そこに幸福を見出さない。どれだけ規範を緩めても、娘は幸せになれない。母と娘、それぞれが抱く幸せの形が異なるからだ。

娘以外の他者を入れる必要性

『娘について』は、母と娘の葛藤の地平に、新しい展開を見せる。

あるきっかけから、母は勤務先の老人介護施設で世話していた老女・ジェンを自宅に引き取る決断をする。

母、娘、娘のパートナーであるレイン、老女ジェンの4人が、ともに暮らすことになる。ジェンが家に来たからといって、母娘の葛藤が瓦解したり、母が娘に理解を示したり、あるいは娘が母に愛を語ったりすることはない。母娘のわかりあえなさは、表面上は継続したままだ。だが、ジェンが来たことで、「つかの間の休戦」が訪れたと母は述懐する。ジェンの世話をすることで、母は娘についての心配事や不満を忘れることができた。そして、理解できなかった娘のパートナーのレインは、ジェンの世話をよく手伝ってくれた。ジェンも、レインの言葉はよく聞いた。

つまり、ジェンやレインという他者が家にやってきたことで、母娘は密室にならずに済んだのだ。

前節で私は「『母殺し』のためには、娘は母以外の他者と出会うことが必要だ」と書いた。しかし、『娘について』は、「母娘問題の寛解のためには、母もまた、娘以外の他者と出会うことが必要だ」という地点を描き出す。

たしかに、第一章で見てきたように、母娘が密着する原因のひとつに、「母にとって家族内でもっとも強い絆を持つ相手が娘だから」というものがある。しかし、もし母が強い絆を持つ相手が、娘以外にも存在していたら——たとえば、ジェンのように——それはひとつの母娘密着の解決策となる。

甘いケーキだけが幸福ではない

母の理解できる幸福を娘が追い求めているうちは、娘の「母殺し」は達成されない。だとすれば、母がやるべきこととは何だろう？

『娘について』が示すのは、「母が自分の幸せを娘に託さない」ことの重要性である。母の実存を娘の幸福に依存してしまうと、母はどうしても自分の規範内における娘の幸福を願ってしまう。しかしそこに、娘以外の他者が入り込むことで、自身の実存を娘の幸福に依存せずに済む。

たとえば、ジェンのような「世話する相手」をつくることで、娘以外の他者の幸福もまた、自分の幸福に繋がることを思い出せるようになる。母にとって、ジェンの世話をすることは、娘以外に抱いた欲望（と言うと大げさに聞こえるかもしれないが、自ら選んだ「やりたいこと」ではある）だった。ジェンという他者に母が抱いた欲望が、母娘の関係を変化させたのだ。

母と娘の間に、他者を入れること――娘視点（『私ときどきレッサーパンダ』）でも、母視点（『娘について』）でも――それが、母娘問題の解決に必要なのである。

『娘について』で描かれたジェンの最期の瞬間、娘とレインは、ジェンにケーキを買ってきていた。

「次は家で作ってみようか？　タルトみたいに、ちょっと平べったくして」

「オーブンがなくてもできるの？」

ジェンの視線が娘とあの子、私に移る。

完璧な午後。

でも私が想像していたそういう瞬間は、ついに訪れなかった。いつもやってくるのが早すぎるか、遅すぎるかのどちらかなのだ。だから気づかないうちに通り過ぎていたり、待ちくたびれて諦めたりすることになる。ジェンが最期に目にしたのはちんまりとおいしそうなケーキではなく、小さな子どもたちだった。

（『娘について』）

ジェンが最期に目にしていたのは「ちんまりとおいしそうなケーキ」ではなかった。この「ちんまりとおいしそうなケーキ」とは、平凡でわかりやすい幸福の比喩だろう。たとえば、結婚、就職、子ども、立派な住まいのようなものだ。甘くて、誰にでも理解できて、優しい幸福。それが「ちんまりとおいしそうなケーキ」である。

しかし、ジェンが最期に目にしたのはそのようなケーキではなく、子どもたち――「私」の娘と、そのパートナーのレイン――だった。

この場面が意味するものは、「一般的な幸福だけが幸福ではない」ということだろう。たとえわかりやすい幸福が手に入っていなくとも、自分なりの幸福が存在していればいい。ジェンの最期の場面は、そのような豊潤さを内包している。

母である「私」は、ジェンの世話を通して、「甘いケーキ」だけが幸福や愛情ではないことを少しだけ理解する。そして母娘関係の解決に、一歩だけ近づく。

母娘は、完璧な和解を遂げたわけではない。「私」はずっと、娘を理解できないことに苦しむのだろうと予感している。しかしそれでも、老女・ジェンの登場によって、「私」は少しだけ楽になった。「娘」以外の他者の世話をすることによって、「私」もまた、母娘の密室から少し脱出することに成功したのだ。

母娘が、お互いを唯一無二の存在だと思わないために

母娘問題というと、とにかく「母」が悪者で、そんな「母」からどうやって「娘」が逃げるか、という問いが描かれやすい。しかし『娘について』を読んでいて感じるのは、「母」

もまた、理解できない「娘」との密室関係に閉じ込められるのはしんどいのだ、という事実である。

「母」だって、母娘の密室に留まり続けることに、葛藤している。

そのため、母娘関係には、とにかく他者を登場させることが重要である。

娘の場合は、自分の欲望に従って母以外の外部の他者と出会い、母の規範を相対化することが必要になる。母の場合は、娘以外の大切な他者――幸福を願うことのできる他者――が必要になるのだろう。そうした他者があることで、娘の幸福を自分の幸福に直結させすぎずに済む、つまり、母と娘との自他境界ができる。

母と娘が、お互いを唯一無二にしないこと。母と娘が、お互い以外に欲望を向けること。

それが母娘の密室を脱出する方法なのである。

3 「母殺し」の物語

自分の欲望を優先する

「母殺し」に必要なのは、娘自身の他者への欲望である。

そして「母殺し」とは、母の規範を相対化し、他者への欲望を優先させることである。

これが本書の結論である。

ここでの「他者」は、モノでも、ヒトでも、コトでもいい。

「それは母が許さない」と言うような娘がいたとき、娘は母の規範でがんじがらめになっている。しかし社会で生きるなかで、他者と出会い、欲望を発見し、自分のやりたいことや好きなことや関わりたい人と出会う。それによって、娘は「母の規範と対立する存在」を見つけ出す。そのときはじめて、「母殺し」は可能になる。娘は、母の規範が絶対に従わなければいけないものではなく、ただ地球上に存在する規範のひとつに過ぎないことに気づく。たとえ母に許されなくとも、叶えたい欲望があることに、娘が気づく。

「母殺し」には、そのようなプロセスが必要なのだ。

そして、母の規範を手放すには、まず母の規範の存在に気がつく必要がある。だからこそ、現代日本の娘たちは、意識的に母の規範を言語化し、母の規範を意識的に手放すことが必要だ。母の規範と対立するものと出会ったとき、いまが「母殺し」のタイミングなのだと自覚することが重要なのである。

滋賀母親殺害事件のノンフィクション『母という呪縛　娘という牢獄』を読んで、私が個人的に感じたのは、娘が家庭を無理やりにでも出る動機が必要だった、ということだ。もちろん虐待されていた彼女にもっとも必要だったのは、周囲の人間の介入であり、父の助けであり、福祉のサポートだった。彼女は何度も家を出ようとして、そのたびに「許さない」と母に激昂《げっこう》されてきた。そんな彼女をサポートする外部の人間がいなかったことが、殺人事件を引き起こしてしまった。

しかし、『母という呪縛　娘という牢獄』から学ぶことがあるとすれば、娘にとって重要なのは、「母を捨てて外に出よう」と思う動機――つまり家族以外の他者への強い欲望だったのではないかということだ。たしかに、母をケアする人間は彼女しかいなかった。その状況は理解したうえで、それでも他者に助けを求めるためにも、彼女には外に出る動機、つまり欲望が必要だったのではないか。そしてその欲望は、単に「母から逃れたい」というものではなく、母以外の他者に向けられたものであるべきだった（ただし、前提として、殺人という最悪の結果に至る前に、外部の人間がサポートに入るべきであったことは繰り返し書いておきたい）。

世間で「毒親」と呼ばれる親は、子どもの欲望を刈り取ろうとする。「そんなものを欲するな」と言うだろう。しかしそんなとき、子どもがそれを欲することこそが、「母殺し」においては重要なのだ。

母の規範よりも、自分の欲望を優先していい。その感覚を定着させることこそが、「母殺し」の達成なのである。

「母殺し」ができていない状態とは、常に母の規範を気にしてしまう、つまり「母が許すかどうか」を考えてしまう状態のことだ。だとすれば、母の規範を気にせず自分の欲望を優先できるようになることこそが、「母殺し」の達成である。母に「わがまま」と言われそうなことを、娘ができるようになれば、それは「母殺し」の完了を意味する。

厩戸王子はどうすれば「母殺し」ができたのか？

『日出処の天子』において、厩戸は毛人を求め、その末に毛人に「あなたは私に母の代わりを求めているだけだ」と拒否されていた。本書はこれを「母殺し」の失敗と捉えていたが、厩戸にとって本当に必要だったのは、毛人に拒否され、完璧な母性なんて存在しないことを知ることそのものだったのではないか。つまり毛人を求め、毛人に拒否されるところまでが、厩戸王子の「母殺し」の可能性だったのではないか。

だとすれば、厩戸は毛人だけを唯一無二の母の代替として求めるのではなく、また新しい他者を探しに行けばいいだけの話だったのではないか、と私は考えている。どんな二者関係であっても、他者が入り込む隙のない関係は、相手との共依存関係に発展し、暴力性を生みやすい。それは母娘であろうと恋人であろうと同様である。だとすれば、重要なのは、そこに第三者を挿入することだ。

厩戸王子の場合は、母や毛人という唯一無二の他者を求めやすい傾向にあった。だが、本当は母や毛人に拒否されたとき、それをふまえて母の規範を手放そうとすること――つまり毛人に拒否されたとき、自らが母に与えられた規範（＝女性嫌い）に気づくことが必要だった。

つまり、重要なのは、毛人に拒否された後だったのではないだろうか。厩戸王子のように、母以外に欲望を向けた結果、母の代替を探してしまうこともあるかもしれない。あるいは欲望を向けた結果、拒否されたり、うまくいかなかったりすることもあるかもしれない。だがその過程こそが、母以外の存在を自分の世界に引き込む手段なのである。母の代替を求め、そして拒否されることそれ自体が、他者と出会う過程なのである。だからこそ、母以外の他者とかかわり続けることが、重要なのだ。

厩戸王子も、時間や経てばまた、毛人や「白痴」の少女以外の誰かに恋をするかもしれない。そうした経験を積み重ねることで、娘は「母殺し」を段階的に達成していく。

ひとつの解を提示する『最愛の子ども』

最後に、「母殺し」を描いた松浦理英子の小説『最愛の子ども』（文藝春秋、２０１７年）を紹介したい。

『最愛の子ども』の主人公は、３人の女子高生である。日夏《ひなつ》、真汐《ましお》、空穂《うつほ》。彼女たちは、その親密さから、教室で〈ファミリー〉と呼ばれている。日夏が〈パパ〉、真汐が〈ママ〉、空穂が〈王子〉という役割をもって、３人はクラスメイトから見守られているのだ。

日夏も真汐も空穂も、実はそれぞれ実母との間に軋轢《あつれき》を抱えていた。日夏は、自分を理解しない母や姉を嫌悪している。真汐は、弟ばかりかわいがる母のことを疎ましく感じている。空穂は、シングルマザーで癇癪《かんしゃく》持ちの母に暴力を振るわれている。

3人は少しずつ関係を変容させながら、高校生活の終わりまでのカウントダウンを迎えていた。

それぞれ母娘関係に葛藤を抱える彼女たちは作中、お互いの友愛関係によって、母の規範を絶対視しないこと——つまり「母殺し」を達成しようとする。

たとえば、真汐は、母が弟の光紀《みつき》ばかりかわいがる様子を見て、「自分は他人に可愛がられない、意固地な性格をしているから仕方がない」「弟は母から可愛がられる母似の容姿と能力を持っている」と感じている。つまり、真汐にとって母から与えられた規範とは、「自分は他人から可愛がられない性質だ」というものだった。

そんな真汐の規範を、日夏が解きほぐす。日夏は「その意固地さこそが真汐の可愛いところなのだ」と、真汐をかわいがる。こうして真汐の「意固地なところ」というコンプレックスは、チャームポイントに変換される。『私ときどきレッサーパンダ』において、レッサーパンダになることが、コンプレックスからチャームポイントに変容したのと同じように。

真汐と日夏は、〈夫婦〉と呼ばれることを辞さないほどに親密な仲になっている。そして、真汐はあるとき、日夏と見つめ合っただけで自分の心の傷が少し癒されていることに気づき、「わたしはいいかげんに今の人生において日夏がいちばんたいせつだと認めるべきなのか」と思うに至る。つまり、真汐にとって日夏は、「母」以上に大切な存在なのだ。

真汐は「早く家を出たい」と思うとともに、「日夏と空穂といつかほんとうに一緒に暮らしてみたい」と思う。こうして真汐は、傷つきながらも「母殺し」を達成する。

娘たちよ、母ではない他者を求めよ

一方、実母・伊都子から暴力を振るわれながらも愛されている空穂は、日夏と親密になっているところを、伊都子に見つかり、激怒される。そのときのことを日夏はこう語る。

「最愛の子どもに手を出された伊都子さんの気持ちはわかるし、結果的に伊都子さんのおかげで外国に出る道が開けたんだから感謝もしてるよ」

（『最愛の子ども』）

母にとって、娘は、「最愛の子ども」だった。唯一無二で絶対的な愛すべき存在だった。しかしそんな母娘の間に、他者が入り込む。空穂は日夏を欲望し、伊都子に見つかると怒られるようなことをするに至る。しかし、それまで母の言うことを何でも受け入れて生きてきた空穂にとって、はじめて「母の許さないことをしたい」と思わせた日夏の存在は、空穂を「母殺し」の最初の一歩に至らせた。

さらに日夏もまた、「外国に行きたい」という欲望をもって、母から離れる道を選ぶ。

このように『最愛の子ども』は、娘が他者を欲望することで、母の規範を相対化する過程を描く。

娘たちよ、母ではない他者を求めよ。母の規範を相対化しながら、他者と出会って、欲望を抱えて生きること。それがあって、はじめて「母殺し」は達成され得る——『最愛の子ども』は私たちにそう告げる。

『最愛の子ども』のラストシーンで、日夏は海外に行ったらやりたいと思っていることのひとつであるダンスのステップを「道なき道を踏みにじり行くステップ」と名付けた［1］。たしかに娘にとって、母のいない世界は「道なき道」を行くようなものかもしれない。絶対的な母の与える規範がない世界は、羅針盤のない、不安に満ちた航海のようなものかもしれない。それでも娘たちは、母の規範を手放し、自ら規範をつくっていくべきだと、この小説は宣言する。

卒業直前、真汐はこの憂鬱な世界を生きていかなければいけないことに絶望したとき、日夏との約束を思い出す。「何年後かの空穂を日夏と見に行く約束をしたのだった」と真汐は微笑む。

わたしたちはいつか最愛の子どもに会いに行く。

(『最愛の子ども』)

真汐にとって、日夏や空穂との約束は、憂鬱な世界で生きていくうえでの羅針盤である。他者との出会いこそが、「母」という規範なき世界を、支えてくれる。このように『最愛の子ども』は語っている。

母娘という名の密室を脱出するために

『私ときどきレッサーパンダ』や『最愛の子ども』を読んでいると、母から与えられたコンプレックス＝規範に外れた部分が、他者から見ると実は魅力になることが、よくあることなのだとわかる。母の規範なんて、当てにならないものだ。『愛すべき娘たち』の健が言う通り、母もまた、不完全な女のひとりなのだから。

その規範を与えたのがたまたま母だったから、小さい頃は絶対的に思えただけで。一度母を相対化してしまえば、母の規範を手放すことは、きっとできる。簡単ではないかもしれないが。

母への愛着は、そう簡単には捨てられないかもしれない。本書で見てきたように、母娘の間には、どろどろとしたヘドロのような、コンプレックスの渦巻く川が流れている。そこから抜け出すのは、容易ではないかもしれない。しかし、だからこそ母への愛着に対抗できるのは、別の何かへの愛着しかないのではないかとも思う。目には目を、愛着には愛着を。

母よりも優先順位の高い何かを——見つけるしかない。

それこそが「母殺し」の旅なのだと、私は考えている。

とはいえ、ものすごく大きな愛着を持てるものなんて、最初は見つからないだろう。だからこそ、小さなことから始めたほうがいい。

たとえば、母に嫌がられそうな服を着る。家族とは行かない場所に行ってみる。知らない作者の本を読む。自分の好きなアニメのキャラクターを見つけてみる。母が嫌がったり、あるいは母がどう思うかなとヒヤッとしたりしたら、むしろそれはチャンスで、あなたの「母殺し」が始まっている証拠なのだろう。いつもより少しわがままになり、欲望を重要視するところから、「母殺し」は始まる。

もちろん、このような「欲望」は、本書で見てきたような母娘密着を引き起こす「娘が母を経済的に頼らざるを得ない状況」や「子が親のケアをしなくてはいけない状況」の直接的な解決にはならない。だが、本書が目指すのは、そのように物理的に密着する母娘関係のなかにあっても、娘が精神的に「母殺し」をおこなうことにある。あくまで精神的に、母の規範に縛られないこと。母の規範を娘が手放して生きること。そうした状態を私は目指している。だからこそ、娘の「欲望」が重要なのだ。なぜなら「母殺し＝母の規範を相対化し、娘の欲望の優先順位を上げること」は、究極的には、「母の人生よりも娘（自分）の人生の優先順位を上げること」に繋がるからだ。

欲望というと、わがままで、おおげさに聞こえるかもしれない。しかし私は、欲望ほど人生を構築するものはないと思っている。

『私ときどきレッサーパンダ』も『娘について』も『最愛の子ども』も、結局は「母の規範に反して、自分は『こういう人生を送りたい』という欲望を重視した」ところから「母殺し」が始まった。自分の人生の優先順位を上げるには、まずは自分の欲望の優先順位を上げるしかない。規範よりも欲望を優先する。その繰り返しでしか、自分の人生を大切にすることはできない。

母の人生の優先順位を下げ、自分の人生の優先順位を上げる。それこそが、「母殺し」の本質なのである。

社会構造上、母と娘は頑丈な密室に閉じ込められやすい。だが本書ではその密室構造のトリックを説明してきた。母の規範に縛られるのは、娘のせいではない。社会構造が女性にケアの役割を固定し、母と娘を密室に閉じ込めようとする。しかし、娘はいつでも密室から脱出するべきである。そして、脱出する動機を持たせてくれる、他者への欲望を見つけるべきなのである。

また、私は「たとえ母と娘の仲が良くても、『母殺し』はしておいたほうが、娘は生きやすいのではないか」と考えている。なぜなら、母の規範には無意識に縛られてしまうものであり、多くの娘がまずそのことに気づかないまま、自分の行動や趣味嗜好や欲望そのものを縛ってしまっているからだ。生まれた家庭に自分の行動や欲望が縛られるのは、ある種当然のことかもしれない。しかし、ある程度大人になった段階で、それらを一度あえて「捨てる」行為をしておいたほうが、家族以外の他者と接しやすくなる。世界は広く、他人は家族だけではない。

「母殺し」は、母と娘の仲を悪くするためにするものではない。仲の良さにかかわらず、母の規範を相対化する行為は、娘の成熟プロセスにおいて必要なのだ。

「母殺しの物語」を生きる

最後に、「母殺し」の具体的なプロセスを、改めて提示しておきたい。

まずは、「母が嫌がりそうだな」と思うことを、なんでもいいからひとつやってみる。あえて母の規範に反してみるのである。高い外食をするとか、昼夜逆転するとか、服を選んでみるとか、なんでもいい。そしてその過程で、自分が母に与えられた「こういう行動をしてほしい」「こういうことを望んでほしい」「こういうふうになるべきだ」という規範の存在に気づくことができたら、それを言語化することが重要だ。言語化することは、客観的に見ることでもある。自分は母によってどのような規範が与えられ、そしてそれを自分はどのように内面化しているのか？　そうした言語化プロセスを繰り返すことによって、母の規範よりも自分の欲望を優先する癖をつける。

そして、自分が何かしら欲望を持てるモノやコトやヒトが現れたら、その欲望を最大限楽しもうとする。『私ときどきレッサーパンダ』のメイが、母に隠れてコンサートのチケット代を稼ごうとしたように。『最愛の子ども』の空穂が、母のいないところで友人と親密な関係を築いたように。『愛すべき娘たち』の雪子の母が、若い元ホストの男の子と結婚したように。なんだっていいのだ。アイドルでもいいし、本や漫画、映画や音楽や舞台、他のさまざまな文化でもいい。友情や恋愛や家族のような人間関係でもいい。または仕事や趣味のような行為でもいい。あなたを救える外部への入り口になるのならば、なんだっていいのだ。母親があなたの人生を決定するわけではないことを、あなたに思い出させてくれるなら。

母の規範に縛られた娘は、自分から何かを欲望することを抑圧されている場合が多い。「イグアナの娘」のリカを思い出してみると、「自分はイグアナだから」と諦めていたものがとても多かったことが分かるだろう。しかし自分の欲望を大切にすることは、自分の人生を大切にすることでもある。母から抑圧されたものを、大人になって、取り返すことは可能である。

そして、娘が自分の欲望を楽しみ、「他者」と出会うなかで、母の規範に反することが出てくるだろう。そのとき、母の規範ではなく、自分の欲望を優先させる。こうしてあなたは母の規範を手放す――「母殺し」の第一歩を達成することができる。

いうなれば、「母殺し」とは、母と娘の密室から出て、外の世界に出会う旅、なのだ。

「母に愛されなくても、これを愛せているから、私の人生はこれでいい」と思えるようなもの。「母はああ言っていたけれど、それはひとつの価値観でしかないから、気にしなくていいや」と気づかせてくれるもの。そんな「他者（モノでもヒトでもコトでもいい）」と出会うことが、重要なのである。

〈母殺しのプロセス〉

① 母の規範の存在に気づき、言語化する
② 母の規範よりも自分の欲望を優先したという成功体験をつくる
③ ①②を繰り返す
④ 母の規範がどうでもよくなる＝母の規範を手放す

ちなみにこのようなプロセスを提示すると、欲望できるようなモノやコトとの出会いは偶然で、意図的に生み出せるものではない、という批判があるかもしれない。たしかに、自分の欲望を引き起こすヒトやモノを見つけることそれ自体、慣れていないと難しい。しかし、私はそれでも他者と「出会おうとする行為」そのものが重要だと思っている。

欲望は、他者に触れているうちに生まれる。逆に言えば、「こういうものが好きだ」「こういうことをやってみたい」「こういう人と話してみたい」という欲望は、外に出てさまざまな他者に触れないと生まれない。出会う他者が多ければ多いほど、自分の欲望に気づく機会は増える。大切なのは、自分の欲望をバカにしないことだ。「こんなものにハマるなんて恥ずかしい」とか、「いまさら友達になるなんて無理」だとか、そういった自分の欲望を卑下する行為をしないこと。それが何より大切だ。

また、母に代わるような絶対的な愛情を求めないことも重要だろう。母の代替を探し始めると、出口のない迷路に迷い込む。母の代替を探そうとした『日出処の天子』の厩戸王子は、「その実それは……あなた自身を愛しているのです」と告げられていた。つまり、母の代替を探そうとすることは、他者に出会わず、自分自身の内側に閉じこもることを意味する。

母よりも、あなたの人生のほうが大切だ。だからこそ母の優先順位はどこかで下げる必要があるし、それが当たり前の社会になるといい。

『人間失格』の主人公は「世間」の規範に気づいたときから、自分の意志で動くことができるようになり、少しだけ「わがまま」になった、と回想する。だとすれば、娘たちもまた――母の規範に気づき、自分の意志で動けるようになるべきなのだ。娘たちは、もっと「わがまま」になるべきなのだ。それこそが、娘が自分の欲望を大切にし、「母を殺す」ということである。

すべての娘たちに、私は「母殺し」を実践してほしい。それが自分の人生を生きるということだから。

［1］ 日夏と真汐は「ステップ」について以下のように語る。

「日夏は踊れるもんね」

「でも自己流だから」

すると真汐が言った。

「自己流でいてほしいな。既成のステップなんて憶えないで」

日夏は真汐にだけ向ける例の優しい目をして応えた。

「憶えられないよ、きっと。わたしも器用じゃないから」

（『最愛の子ども』）


母が敷いた既成のステップではなく、自己流で、娘たちは道なき道——母なき道を踏みにじり行く。それこそが、『最愛の子ども』が母と娘の物語のラストシーンに据えた答えだった。

あとがき

巷《ちまた》では、「母を許そう」とか「母を手放そう」とか「母を受容しよう」とかいろいろ言われていますが、そんなことより、全「娘」にとって必要なのは、「母を殺す」ことなのでは？——そんなことを伝えたくて書いたのが、本書でした。

女性にとって、「母」はどうしても絶対的な規範になりがちで、そこから抜け出すことは、良くも悪くも、難しい。

だからこそ自覚的に「母殺し」をしていきましょう。

——この結論に関して、異論反論ご指摘等ある方も多々いらっしゃるかと思いますが……ぜひそれらは、著者にお寄せいただけますと幸いです。たくさんの「娘」の話を、私は聞きたいのです。そしてたくさんの方に、母娘問題を、知ってほしいのです。

さて、この本もそろそろ終わりに差し掛かってきました。

最後に個人的な話をすると、私が原稿を執筆するなかで印象的だったのは——意外にも、「そうか、本や漫画を読むことが、私にとっての『母殺し』の方法だったのか」と気づいたことでした。

あくまで私の場合、ではあるものの、親以上に大きな価値観を与えてくれる存在が本や漫画のなかにあったこと。そして、たくさんの理解を本や漫画に与えてもらったこと。それらは私の人生にとって、とても大きな出来事だったのです。

ですから、私にとっての「母殺し」の方法は、本や漫画を読むことでした。

では、あなたの場合は、どんな方法だったのでしょう。あるいは、もしあなたがこれから「母殺し」をおこなうというフェーズにあるのならば、どんな方法になるのでしょう。

それは大学に行くことかもしれないし、仕事をすることかもしれないし、音楽や映画の趣味に出会うことかもしれないし、恋愛や結婚をすることかもしれない。私にはそれが何かわかりませんが、それでも私は心から、あなたに出会ってほしいのです。

母の愛や規範にくるまれている状態から抜け出して、もっと違う場所に行きたい、世界の豊かさに出会いたい、と欲望させてくれるものに。

女性が欲望の主体になること自体、まだまだ咎《とが》められやすい社会なのではないか、と私自身は感じています。少し買い物をすれば、「無駄遣いだ」「見栄っ張りだ」と言われ、あるいはちょっと〝推し〟に散財するだけで「貯金は大丈夫なのか」と言われる。都会はともかく、地方にはまだそんな空気が残っていて、女性が欲望の主体になったときに世間が言いそうな悪口であれば、いくらでも思いつきます。でも、私はそういう変な社会規範ごと吹っ飛ばせたらいいのにな、と常々思います。

欲望は人生において大切です。欲望しないと、人は外に出ようなんて思わない。だからこそ「娘」である皆さんには、もっともっと自分の欲望を大切にしてほしい。それは、自分を大切にするということでもあると思います。母の欲望と、自分の欲望は、違うものです。

私の場合は、「本を読みたい」という欲望が私を外に連れ出してくれました。

あなたの場合は何でしょう。「母の規範を捨てたい」と思えるほどの大きな衝撃にあなたが出会えることを、私は祈っています。あなたはもう、「母」から解放されていいんです。

最後になりましたが、本書はＰＬＡＮＥＴＳ編集部の皆様の尽力によって世に出ることができました。とくに編集長の宇野常寛さん、編集者の藤田マリ子さんに、心より感謝を申し上げます。

私が個人的に募集した、「母と娘に関するアンケート」に回答くださった方々にもお礼をお伝えします。どういう人にこの本を届けるべきなのか、私にとっての羅針盤になったとともに、読んでいるだけで涙が出てくる、きらめく言葉がたくさん綴られていて、すごく力になりました。ありがとうございました。

また、本書に登場したたくさんの作品に感謝を。批評は作品があるからこそ成立するものであり、何よりも素晴らしい作品への敬意と感謝を伝えたくて、私は批評を書いています。本書第一章で引用した『砂時計』の作者・芦原妃名子先生のご冥福をお祈りしています。ずっと大好きでした。今後も芦原先生の作品は、葛藤する娘たちにとっての光になることを、私は確信しています。

これからも、もがく娘たちにとって、この世に存在するフィクションが、暗闇でぼうっと光る灯台としてあり続けますように。

そして本書が、その灯台に至る一助になることを、願っています。

二〇二四年三月

三宅香帆

三宅香帆（みやけ・かほ）

文芸評論家。1994年生まれ。高知県出身。京都大学大学院人間・環境学研究科博士前期課程修了。著作に『（読んだふりしたけど）ぶっちゃけよく分からん、あの名作小説を面白く読む方法』、『推しの素晴らしさを語りたいのに「やばい！」しかでてこない―自分の言葉でつくるオタク文章術』、『文芸オタクの私が教える　バズる文章教室』、『人生を狂わす名著50』など多数。

娘が母を殺すには？

2024年5月15日　第1刷発行

著者	三宅香帆
発行者	宇野常寛
発行	株式会社PLANETS／第二次惑星開発委員会 ☎070-6449-6489 http://wakusei2nd.com/ wakusei2ndshop@gmail.com
装丁	西垂水敦・内田裕乃（krran）
本文デザイン	沢田幸平（happeace）
DTP	坂巻治子
校正	山崎春江
編集	藤田マリ子（Nodes）
印刷・製本	モリモト印刷株式会社

ISBN978-4-911149-01-0　C0095